D0988581

Eux

CLAIRE CASTILLON

Eux

ÉDITIONS DE L'OLIVIER

© Éditions de l'Olivier, 2014

ISBN 978.2.8236.0365.1

Je suis enceinte, j'entends des voix. Au début, je suspectais mes dents. L'amalgame en métal de ma numéro 27 servait d'antenne relais. Dès que je buvais, les sons, les codes, tout transitait par moi. Et l'eau sur ma molaire créait le point de contact. Donc l'armée, la police, l'aviation, les voisins échangeaient dans ma bouche. Je ne me suis pas laissé faire. Je ne voulais plus transmettre. Émettre, à la limite, mais pas n'importe quoi. J'ai commandé un brouilleur de fréquences. Un petit appareil noir doté de trois antennes est arrivé de Chine. Je l'ai posé près de ma bouche, antennes contre ma joue. Il devait stopper les ondes. Il n'a pas marché. Les voix ont redoublé. Je me suis exaspérée. J'ai été fatiguée. J'ai mis la Chine en cause. Je m'acharne quelquefois. Depuis, j'ai compris. J'ai suspecté ailleurs et là, j'ai eu raison.

C'est elle qui veut me tenir, me garder, me posséder.
Moi, je sais qui je veux dire. La famille. Mais prononcer
le mot est déjà me salir. La généalogie, la grande feuille
de papier, l'arbre entier dessiné, avec les noms des gens,
pendus aux branches du sang. Ils me parlent d'en haut.
Ils sont héréditaires. Alors je les entends, puisque je suis
descendante et que j'attends un enfant.

— Petite poule, poupée gigogne, maintenant tu es
des nôtres.

Je suis enceinte. D'accord. Leur but est de prendre
mon ventre, de me voler mon bébé pour l'élever à leur
guise. Ils me caressent dedans pour me gagner le centre.
Noyau et disque dur, ils comptent me replanter, non,
Non ! Te formater !

Leur caresse est un loup, installé sous mes côtes.
Ils sont venus chez moi. Ils se sont implantés. Je ne
peux pas les faire taire, sauf à leur faire la peau, mais
leur peau est la mienne. Si je les tue, je disparais. La
nuit, ils m'entrent et s'ils ne m'entrent pas, ils s'agitent

tout autour. Ils font miauler le chas de mon aiguille. Ils transforment le tambour de ma broderie en grosse caisse. Sans gêne, ils campent tous là, sous le sol, dans le plafond, cachés derrière les murs, dans ma boîte à ouvrage. L'offensive est lancée. La famille sent, maintenant, qu'elle va se prolonger. Et ça l'excite.

— Petite poule, poupée gigogne, allez, donne-nous ton œuf.

Je veux me battre mais j'ai sommeil. Souvent, je me traîne à quatre pattes. Je me colle contre quelque chose de chaud. Un sèche-linge. Un tuyau. Je respire tranquillement. Pas longtemps. Je pense au courrier sous le paillasson. Je ne veux pas le ramasser mais s'il reste par terre, il risque de s'infecter. Le toucher, c'est l'ouvrir. Du coup, je le laisse encore. Mais j'ai peur des relances.

Un bébé me pousse dans le ventre. Je vais le dire à ma mère. En y mettant les formes. J'ai le dedans subjugué. Maman, je suis descendante, je vais multiplier. J'espère être pardonnée. Je la voudrais complice. À sa façon, elle est sauvage, elle va comprendre mes réticences. Je l'ai souvent vue sursauter quand je l'approchais sans qu'elle m'entende. Elle aimait sa tranquillité, elle partagera ma peur du bruit. On va parler profond, direct. Je ne dirai pas pour la famille, mon refus de la lignée, du nombre. Je ne veux pas la peiner non plus. On mentionnera les soubassements, le cœur, l'âme, les sentiments. En parlant, je vais chasser les voix. Si je trouve la bonne héréditaire à qui me confier, les autres finiront par me lâcher. Les voix cesseront. Je dois essayer.

Un enfant, quelle histoire. Comment ma mère l'entendra-t-elle ? D'autant qu'une perceuse défonce

actuellement le mur de sa cuisine en vue de l'installa-
tion d'une prise supplémentaire. Elle passera de trois
lessives quotidiennes à six puisqu'elle n'aura plus à
interrompre le lave-linge pour brancher le lave-vaisselle.
Ce pas en avant vers la liberté la rend joyeuse, mais
dès qu'elle y pense, les travaux lui apparaissent comme
un poids de plus à porter. Il va lui falloir dépoussiérer
après le départ de l'ouvrier qu'elle respecte. Je respecte
votre métier, lui dit-elle, tant elle a peur qu'il l'abandonne sans terminer sa tâche, alors qu'il doit encore
poser deux appliques, moins laides que les anciennes
mais pas aussi jolies que celles dont elle rêve et qu'elle
ne peut s'offrir car le budget dévolu aux travaux par
mon père est limité. Il ne le lui dit pas ainsi, mais
elle le devine, elle le déduit. Alors elle soustrait, elle
retient. Elle stocke en elle injustices, malheurs, regrets.
Mon père étale les travaux sur plusieurs mois, non par
manque de moyens, mais pour l'occuper, lui trouver
un but, en cas de grand tourment, ou bien de choc. Si
sa fille tombe enceinte, par exemple, il faut pouvoir,
vite, vite, sortir ma mère du tracas en lui offrant une
rénovation. Un mur ou des peintures. Un plafond.

Ma mère déclare à l'ouvrier qu'elle l'admire, aussi. Respect, admiration. Ce sont les gens comme lui qu'elle admire, parce qu'il n'est pas honteux d'exercer un métier manuel. Elle ose le dire haut et fort. Elle admire le travail artisanal, surtout lorsqu'il est bien fait. Et avec cœur. Je vous admire, voilà.

Pendant que je lui téléphone, elle ne demande pas à l'ouvrier d'arrêter le marteau. Il cogne. Je parle. Je suis enceinte. Je voulais t'annoncer que j'attends un bébé. Je voulais te voir pour mieux te l'annoncer mais j'ai hâte, alors je le fais par téléphone. Maintenant, tu sais. Youpi.

D'ailleurs, le mois dernier, quand je t'ai demandé si nous pouvions passer, un vendredi, je souhaitais déjà te l'annoncer. Mais j'ai fait une fausse couche. Après la piscine. Dans la baignoire.

— J'ai mis un point d'honneur à te dispenser de piscine durant toute ta scolarité.

C'est sa façon de dire. Elle souffre dans ma fausse couche. La haine de la piscine est un masque bleu sur sa peine. Je vais quand même développer un peu, détailler le moment du trou noir. Je voudrais voir son œil gigoter, chercher la niche, la porte, chercher comment s'échapper de moi. Au téléphone, son regard est blanc. Il fixe le marteau de l'ouvrier. Je raconte ma fausse couche à ma mère. Je me suis allongée. Le sang a continué. Et le bébé est parti. J'ai fabriqué une boîte de tristesse, avec le bouchon du champagne ouvert avec mon homme pour fêter l'événement.

Je vais te dire quelque chose, si je peux me permettre, déclare ma mère. Hourra.

— La piscine est un nid à microbes. Ne t'étonne pas si tu attrapes n'importe quoi.

Le marteau me plante dans le mur. Je continue. Elle va dire Ma chérie. Elle va me demander pourquoi je ne l'ai pas appelée. Elle serait venue. Elle se serait assise à côté de mon ventre, une tisane à la main. Elle aurait attendu que je m'endorme sans parler.

Après ma fausse couche, tout était noir. Je faisais des mots croisés. Je cherchais des réponses. Je trouvais des solutions. Je traversais un couloir. Et puis, très vite, je suis retombée enceinte. Le bébé est revenu. Maintenant, il est là. Je l'attends. Je suis heureuse.

— Mon ouvrier est un type très bien, me répond ma mère. Fais appel à lui pour repeindre. Avec ce que ton gars fume. Et où comptez-vous le mettre, ce pauvre enfant ?

— Dans la petite chambre.

— Quelle petite chambre ?

— La pièce avec la grande armoire.

— Et l'armoire ?

T'es triste, petite poule ? Tu t'attendais à quoi ? Il ne faudrait pas te laisser sombrer, avec les murs en décadence. Tout s'effondre quand tu veux de l'amour. Trop de régime et trop de propreté, il faudrait que tu te fasses baiser. Qu'est-ce que c'est que cette nouvelle lubie ? La broderie, c'est un peu débile. Laisse tomber le travail manuel. Ce métier n'est pas très sérieux. Tu brodes quoi en plus ? Épinal ? Image de bonheur ? Nouvelle gamme ? Fais-nous rire ! Mais fais-toi baiser. Tu ne sauras pas t'en sortir seule. Si on te regarde, là, pile, maintenant, assise par terre, roulée en boule sur ton ouvrage, le dos collé au ballon d'eau chaude, brouilleur d'ondes accroché au cou, on a plus envie de t'enfermer que de te grimper dessus. Tu as tout du remède, malade mentale. Un bon coup pour te redresser, voilà ce qu'on te souhaite. On se permet. On doit te trouver un pervers. Tu aimes bien en plus, tu connais. Personne d'autre n'oserait t'approcher. En l'état actuel des choses, tu inspires dégoût et pitié.

Y a quelqu'un dans le coin qui pourrait ? Où est ton gars ? Parti au travail ? Demande-lui de rentrer, on vous regarde. Appelle-le, dis-lui qu'il faut te prendre. Il est en réunion, il bande, t'inquiète, appelle-le, il viendra. Il est plus sain, grossesse oblige, que le père lui-même procure la baise. On ferme les yeux, on n'écoute pas. Faites comme si nous n'étions pas là. Ça y est ? Il vient ? Il rentre ?

Il peut pas. Il a réunion. T'es triste, petite poule ? Pourquoi tu boudes ? Tu as mal au cœur ? C'est ce que tu écris à ton gars ? Bravo ! Non mais t'es folle ou quoi ? À son homme on dit : Je te veux. Rien d'autre. Ou bien il ne comprend pas. Tu te recroquevilles ma vieille, ma petite ! Deviens mère mais reste sa femme. N'oublie pas qu'un homme s'en va s'il n'a pas son dû. Ouvre-toi. Vends-lui ton cul au téléphone ! Rappelle-le, oui, il réunionne. Et alors ? Vas-y, donne-lui du salace, un bouquet de mots dégueulasses. Tes Je t'aime, il n'en a que faire, il mate toute une rangée

EUX

de salopes, elles languissent, elles attendent leur tour. Il fait le paon, il sauvageonne. Tu parles, les sauvages dans son genre sont plus policés que la police. Tu nous écoutes quand on te parle ? On sait les choses, on est héréditaires. Pourquoi tu fermes les yeux, poupée ?

Ton corps se déglingue, tu te transformes. On dirait que tu as forci des cuisses. Tu commences déjà les réserves. Tu as peur de manquer ? Tu n'as même pas connu la guerre. Nous, oui. On te racontera. Bientôt la bonne culotte de cheval pour t'agripper à quatre pattes. Poupée… N'est-ce pas le surnom que te donnait celui qui t'a défoncé la tête contre un bidet d'Eurodisney ? Tu les as choisis drôlement mal, pardon, mais on a bien tremblé, et puis tellement ri, aussi. On ne t'en veut pas, c'est terminé, tu t'es rangée.

Ne serre pas les dents. Allez, amuse-toi donc poupée, abdique, et montre-nous comment tu montes. Désormais, l'amour se passe en famille. On n'est pas bégueules. On comprend.

Téléphone à ton gars. Il va rentrer tôt, rien que pour toi. Il va te bourrer, cheval. Tout bas, au creux de l'oreille, mais nous, on entendra. Avant ? On entendait. On était là tout le temps, même quand tu te branlais. On était là pour toi, les morts et les vivants. Pourquoi tu pleures, petite chatte ? Oui ! Lui, tu le griffais ! Et tu le faisais exprès pour emmerder sa femme ! Tu étais si jeune. Dix-sept. Bien peu pour partager la couche d'un soixante-trois. Il avalait un citrate de bétaïne avant de se coucher avec toi. Tu croyais que c'était de la Badoit. T'es mignonne, petite poule inconsciente. Par avance, il te digérait pas.

Chaque fois que ta mère te faisait du mal en n'étant pas comme tu espérais, tu te faisais mettre pour un Je t'aime. Tu t'achetais un rétablissement. Mais aujourd'hui, tu fais comment, avec le gosse qu'il t'a mis dedans ?

Enceinte, pupute, est-ce que tu t'en rends compte, au moins ? Saloperie ! Tu es inerte, bouge-toi ! Saloperie ? Ce mot-là aussi te rappelle quelqu'un. Des poètes, tu en as croisé. Mais à présent, c'est terminé. La poésie, c'est du passé.

Pourquoi cet air noir ? Tu ne pensais pas, un

jour, entendre le papier peint ? Pourquoi, enfant, déchirais-tu tes murs ? Tes parents n'aimaient pas que tu décolles le papier. Tu le faisais en dormant. Au fond, tu nous cherchais. Le matin, embêtée, tu mouillais ton doigt pour tout bien recoller. Mais ta salive n'est pas une colle, ma vieille. Elle lubrifie, c'est tout, qu'est-ce que tu crois ? Petite, tu fouinais derrière le papier peint, tu voulais des copains. Tu espérais une équipe. Aujourd'hui, on est là. On vient de la même souche, on est de la même écorce. On va l'attendre ensemble, ce bébé que tu portes.

Mais bon. Un film porno de temps en temps nous paraît distrayant. Alors ne te laisse pas aller, lève-toi, prends le téléphone, et puis appelle ton homme. Fais-le venir.

Je ne peux pas l'appeler. Il attaque une face nord. Il a d'autres tracas que se charger de moi. Enceinte en plus, quel poids. Lui, il porte des kilos, mais seulement sur le dos. Sa tente, sa nourriture, son sac, c'est du concret. La charge de ce qui me traverse doit rester mon secret. En femme de héros, alpiniste forcené, il me semble naturel de garder mes problèmes acoustiques pour moi-même. Et si je me sens mal, je peux glisser à quatre pattes le temps de me contenir. Je trouve le soulagement nécessaire au silence. Vite, quelque chose de chaud contre quoi respirer.

Oui, tu as bien raison, commente une voix dans le mur. Le radiateur est le mieux. Un homme, on le laisse tranquille. On ne doit rien lui demander. Ne pleure pas devant lui, ne parle pas de tes regrets, ne demande jamais rien qu'il ne sache donner, ne lui parle pas de nous autres, et garde ta mère pour toi. Elle t'a cloué la gorge ? Il te clouera le cœur. Reste seule, tu es bien. On l'élèvera pour toi, ton petit œuf, tu verras.

Le téléphone sonne. Troisième fois aujourd'hui. Mais je ne décroche pas. Des clients mécontents ? Je ne brode pas assez vite ? Je ne suis pas très rentable ? Les commandes prennent du retard ? La Chine risque de me doubler ? Et si c'était le refuge ? Le refuge qui m'appelait pour m'annoncer sa mort ? S'il avait dévissé en haut de sa face nord ? Il n'est pas redescendu. On l'attend depuis quatre jours. Les secours l'ont cherché à travers la montagne mais ils n'ont rien trouvé. Madame, mademoiselle ? Sachez que sur la crête il a pensé à vous. Nous en détenons la preuve. Le héros a dessiné un cœur dans la neige avec son piolet. Photo jointe.

Je refuse l'hérédité mais je suis tombée enceinte. Je dessine mon paradoxe sur une toile à broder. Mon projet d'ouvrage est très clair. Un arbre, racines en l'air, et feuilles fourrées dans le sol. Fil marron et fil vert, deux couleurs, camouflage. Les clients seront contents, excuseront mes retards. Cet arbre retourné est décalé, tendance, on dirait un logo, les jeunes vont adorer, bravo pour le côté street, avec tendance boyish ! Dans mes oreilles, on sonne du cor, rassemblement. Les héréditaires ont formé une armée, ils veulent voler mon bébé.

Superbe, ton arbre, petite poule ! Tu es généalogique !

Je pique. J'enfile. Je me requinque. Ils peuvent causer. Je vais les semer dans mes dessins, broder dessus, les clouer là, en tapisserie, en décorum. J'ai la gnaque qui pousse comme deux ailes, je compte vite les alambiquer. Ils ont beau jouer les fanfarons, elle me laisse

EUX

de marbre leur fanfare. Je vais éradiquer l'éternel et rester fugace, transitoire. Ainsi, je m'en sortirai bien. Je slalomerai ma vie durant, comme je l'ai fait jusqu'à maintenant. Mon homme est un héros, il va mourir bientôt. Mon ventre est un tiroir qui contient notre histoire. Le bébé peut-il m'arrêter ?

Évidemment, petite poule ! Vers quoi courais-tu de toute façon ? Avant, tu furetais. Aujourd'hui, tu remplis une mission. Débrouille-toi, entraîne-toi, ouste, apprends à aimer. On espérait compter sur un automatisme, mais chez toi on dirait que le réflexe est cassé. D'où peut bien te venir cette vive absence d'amour ?

Concernant ton enfant, mon diagnostic est réservé, constate ma mère. De toute façon, je sais les choses, même si on ne me tient jamais au courant de rien. Tu as fait ton machin dans ton coin.
— Et je me comprends, précise-t-elle.

La vie a été fastidieuse. Mon dressage s'est avéré frustrant. À quoi bon y avoir mis tant d'énergie pour se sentir si seule aujourd'hui ? Quel est le sens de sa vie ? Voilà une question que ma mère ne se pose plus. Elle a essayé mais elle a retiré de ses cogitations des rêves sanglants qu'elle a gardés pour elle et nettoie dès qu'ils lui reviennent. Elle ne voudrait pas retourner à la petite fille qu'elle a été, elle craint la vieille qu'elle devient et n'habite pas l'entre-deux-femmes qu'elle occupe aujourd'hui. Elle campe le plus clair de son temps à côté d'elle, inconfortable et désolée. Elle se cherche des manteaux amples pour se cacher mais dès qu'elle les porte, elle les regrette et en choisit de plus serrés où prendre forme. Sauf qu'il est trop tard pour ces manteaux-là, elle ne peut pas s'offrir un manteau par semaine, alors elle erre dans son manteau ample en rêvant à son manteau étroit, et elle maigrit afin de le choisir le plus étroit possible la prochaine fois.

J'ai rêvé pour elle d'un manteau trop grand, avec la place de me glisser dedans. Juste une fois contre elle, dans un sac kangourou géant. Une saleté, cette invention, pense ma mère. On n'a pas trouvé mieux pour fabriquer des bossus.

Mon père retient sa joie de peur d'agacer ma mère. Elle préférerait qu'on ne lui parle pas de naissance d'enfant, surtout en prononçant « grossesse », un terme qui la révulse presque autant que « maternité ».

Mon père remonte immédiatement à la genèse du problème : ma mère est anxieuse à l'idée que je donne naissance à un débile. Il va lui falloir du temps pour s'habituer. Elle a ressenti un choc, m'explique-t-il. Il cogne du poing contre son thorax pour sonoriser toute cette matière. Il sent que je suis un peu grise. Déçue ? Triste ? Les deux, peut-être ? Elle se fait du souci, voilà. Et puis elle est perturbée, avec son problème de placard.

Mes parents sortent dîner au restaurant. Ma mère m'invite à les rejoindre, avec comment il s'appelle déjà, tu changes tellement, Bidule, heu, flûte, ton gars quoi. Je refuse, prétextant une occupation comme elle aime pour moi, un dîner, une sortie, parce qu'elle déteste savoir que je ne fais rien, jamais, que nous restons chez nous, avec mon gars. Chez toi, dit-elle, il n'est pas chez lui. Et quand je réponds qu'il est à la montagne et que j'attends son coup de fil sans sortir, en travaillant pour honorer mes commandes en temps et en heure – ça marche fort, jusqu'en Italie on s'arrache mes broderies, niches, pointues, commerciales, j'ai du succès là-bas –, ma mère regarde de l'autre côté pour ne pas me voir. Même par téléphone, elle regarde toujours du côté où je n'existe pas. Je refuse le restaurant. Elle me répond :

– Encore une fête où nous ne serons pas au complet… mais puisque mademoiselle préfère rester seule.

Mon père la prend en photo. Il aime quand elle sourit comme les enfants en voyant l'appareil. Mais elle efface l'instant d'après ce sourire venu de loin. Elle se recoiffe de l'intérieur. Et toute sa viande se raidit. Ma mère est à cran. Le champagne l'a détendue le temps de l'avaler mais à présent qu'elle erre, au large dans son grand manteau sans jamais moi dedans, elle est comme si elle n'avait rien bu. Mon père garde la forme, il pense youpi, je vais être papi, et ma mère se jette à son cou. Elle a oublié de le remercier pour le restaurant. Mon père la palpe et se demande s'il est normal de la sentir si saillante sous sa peau. Il a parfois peur qu'elle se brise. Il s'en veut de penser à tout ce qu'il ferait sans elle, voyages, déserts, concerts. Il se reprend. Il a de la chance d'avoir une femme maigre. Celles de ses copains sont beaucoup plus enrobées. Il vaut mieux prendre garde aux kilos, avec l'âge. Il trouve que ma mère se tient bien.

Ma mère me demande quand elle aura le droit d'annoncer la nouvelle. Je ne dis rien tant qu'on ne me le permet pas, je reste dans mon coin, énonce-t-elle.

Vas-y, tu peux, lui dis-je.

Elle me répond Non, non, j'attendrai que tu me le permettes, je sais rester à ma place.

Les héréditaires insistent. Ils veulent le bébé dès maintenant. Si j'étouffe, je me rendrai. Alors c'est l'oppression. Ils saccagent mon territoire, ils retirent mon air en m'écrasant sous le plafond. Ils m'injectent le vertige. Ils resserrent mes murs. Ils étriquent ma chambre. Leur méthode est rodée. Ils vont me presser comme un fruit rond, avant de me jeter, sèche, et le ventre creux. Ils me volent, ils me tordent. En même temps, ils me cuisinent à la sauce familiale, autour d'une nappe juponnée et sous un soleil jaune. Je connais leur manège. On repasse ta petite bohème, on sait l'amidonner, on te respecte mais tu vas nous ressembler, t'y peux rien petite poule. Ton enfant sera des nôtres, quoi que tu fasses, quoi que tu en dises. On lit en toi, tu ne peux rien nous cacher, on va se servir, voilà. Tiens-toi prête, on est là. Trente-sept ans qu'on s'emmerde. On guettait une naissance. Ne compte que sur nous maintenant. Ton gars ? N'importe quoi ! Il te baladera puis il te trahira. Tu t'inventes un héros, amuse-toi bien ma grande ! Quand tu auras terminé de tout imaginer, quand tu accepteras d'avoir fait ton enfant avec un homme lambda, on rira, on rira !

Un lambda, on te dit. Écoute-nous. On sait tout. Pas mieux qu'un gros vicelard. Il te trahira la nuit ! Pendant que tu dormiras ! Il te trahira le jour, assis en face de toi. Tu croiras qu'il est droit. Tu le découvriras, de biais sur son clavier d'ordinateur. Écrire à des amantes. Leur donner rendez-vous. Leur parler votre langue. Leur dire les mêmes mots, tu m'excites, j'aime ton corps, je veux ta peau, épouse-moi. Polyglotte ! Il trahira dans toutes les langues ! À moins qu'il ne te trahisse déjà. Sais-tu ce qu'il fait à cette heure-là ?

Silence ! Mon gars n'est pas un gars, c'est un homme, il est fort. Il gravit un sommet, parcourt des champs de crevasses. Mon bébé est celui d'un héros des sommets. Je n'aurais pas fait d'enfant avec un type d'en bas. Les héros de plateaux ont le panache trop chaud. Mon gars a le panache froid. Et en plus, il est beau.

Froid ! Tu parles ! ʻspèce de conne ! Y a pas plus chaud que ce gars ! Tu as pris ce qu'on fait de pire en matière de satyre. Même la neige, il la nique. Crois-nous ! Plaque-le et viens. Élevons le bébé, ensemble, on te montrera le chemin.

Je ferme les yeux. Aussitôt, j'entends moins. Mes sens se déglinguent. Si j'ouvre grand les oreilles, est-ce que j'y verrai mieux ? Je couds dans le noir. Je brode un visage et je sais lequel, je fais des coussins pour me protéger. On marche ! disent les clients. Très rétro, confidentiel et second degré. Un poil clivant, mais on prend le risque. Je n'ai pas besoin d'ouvrir les yeux. Dedans, je suis noir et blanc d'ambiance épouvantable. J'ai une transe ophtalmique. Dès que je regarde quelque part, surtout immaculé, drap blanc, coton ou neige, un pigeon lâche une fiente. Où que je regarde, la fiente. Des rêves mouchetés caca ; bien retenir ce mot interdit dans l'enfance et l'apprendre au bébé dès qu'il ânonnera. Il paraît que déjà il reconnaît ma voix, mais je ne lui parle pas, ou seulement dans ma tête, j'aimerais communiquer sans bruit, par évidences.

Dans mon sommeil insupportable, je reçois sans cesse des flashes. Personne ne tient l'appareil. Tout me descend du ciel. Il y a ordre de me griller, qui provient de l'Éternel. Et mes rêves se soumettent. Invitée à la campagne chez des gens, on m'oblige d'un regard à prendre une douche en plein air dans une cabine en forme de cercueil où seules mes fesses dépassent du rideau. Forcée à héberger le savon dans ma bouche pour agrandir la cabine. Et cette nuit, rebelote. Des cauchemars à la file. Je suis une sonnerie de portable, volatile encore. Perchée dans une pièce, j'essaye de m'éteindre comme un réveil, mais je ne peux pas puisque je suis une sonnerie de téléphone portable. Si je m'éteins, j'éteins le téléphone du monde entier et je deviens la cause de la fin des communications. Du coup, prison. Travaux forcés. À quatre pattes. La terre racle mon ventre. Dessous, j'héberge un escadron de vers. Ensuite, on me fait visiter une maison dans l'eau en me promettant la vue sur une mer éternelle. Oh ! Le symbole ! La mer éternelle ! Je pense à noyer les vers. Je ricane. Mais je ne rigole pas. Je voyage d'une pièce à l'autre et l'eau monte au plafond.

Faut sortir, petite poule, t'aérer le ciboulot, broder n'est pas d'époque. Vis donc avec ton temps, viens fêter ton bébé. On t'attend, au restau. Viens nous voir, au restau. T'aimais bien ça, avant. La fête, et les restaus. On t'invite, viens maintenant, ne réfléchis pas trop. Vitamines, minéraux, on va te fabriquer un œuf équilibré. On t'attend. On ne va pas tarder à commander. Si tu arrives en retard, on choisira pour toi. Comment aimes-tu ta viande déjà ? Rouge, il te la faut rouge. Le sang, c'est de l'énergie.

Je ferme la bouche. Les héréditaires balancent leurs hameçons, mais ils ne me pêcheront pas. Les lasagnes que tu aimes ! Ou bien les aubergines ! Viens ! T'auras des penne ! Ou des antipasti ! Même les deux si tu veux ! Mange gras ! C'est bon pour toi ! Deviens grosse ! Donne ton corps ! T'épargne pas comme ça, à jouer à la sylphide, tu es grotesque, deviens mère, gonfle des seins, fais du lait.

Je reste chez moi. Je prends une douche. Les héréditaires m'envoient de l'eau sale, l'eau de la plonge, l'eau
de leur ventre. Tiens ! De l'eau pétillante ! Allez ! De la
Ferrarelle ! Ils me font ce coup-là, en direct du restau,
la douche à l'eau qui pique ! Dans les tuyaux de mes
murs, pas ceux de l'eau, ceux du gaz, je les entends dire
qu'ils vont bien m'exploser. Je crois que c'est sexuel.
Ils ne doivent pas savoir que leur action me touche.
Quand ils attaquent, il vaut mieux rester neutre. Je les
connais. Répondre est leur parler. Après, ils pensent
dialogue, échange et possibilité. Je ne dialogue pas, je
n'échange rien. Je suis à moi, je ne partage pas. La tête
penchée sur mon ouvrage, je brode.

Ils se taisent un moment, la bouche gavée de gressins.
Mais je n'ai pas le temps de dire ouf. Je ne trouve pas de
repos dans ce qu'ils me laissent, qui m'environne. Même
le silence, ils l'ont touché. Il me panique. Mais je ne
panique pas. Bien sûr, les héréditaires savent des choses
de moi, mais je peux cacher les importances. Dans des
aphorismes. Ils ne pigent rien. Je leur planque la vérité.

Je détourne le langage. Le tout, c'est la présence. Faut jamais les lâcher. Pour m'en débarrasser, je reste concentrée sur ma tapisserie. Un enfant est un fil, leur dis-je pour les semer, un fil rouge, vous voyez ? Et je tire l'aiguille. Ils se jettent sur l'huile piquante. Elle nous tue ! Elle nous tue ! Elle veut s'échapper de nous mais nous la tenons serrée, il ne faut pas la lâcher, pas la laisser filer, offrons-lui de l'argent, il faut la tenir, maintenant ! Elle peut nous reproduire mais on doit la conduire. Elle va s'évaporer, c'est flagrant, elle nous quitte, mais cet œuf est à nous, on va le protéger, vite ! L'habiller comme il faut, lui parler bon français, vélocipède, publicité, motocyclette. Lui donner des racines. On est là !

Je mets en place le grand dispositif. Je dois mieux me protéger des héréditaires. Dans ma chambre, après le dîner, ils vont revenir. Pâteux, familiaux et amers, égayés par le vin, avec leurs langues sèches ils se confieront leur souci récurrent quand ils dînent au restaurant : le vitello tonato a perdu le goût, et du thon et du veau. Et mon père répondra en fonction de ce qu'il faut. Oui pour la rassurer, non pour la consoler. Il sait prendre ma mère entre viande et poisson. Il y aura bien une tante, un aïeul, une fausse couche, pour balancer la sauce :

— De toute façon, la cuisine de cet endroit a baissé, mais nous continuons à y aller par fidélité.

Je les connais par cœur mais ne sais pas les faire taire. Ils trifouillent sous le béton des murs de ma maison. Je ne comprends pas leurs mots mais je sais ce qu'ils veulent dire. Donc je consolide les murs. Je cherche le bon matériau. Je dois parvenir à boucher tous les trous par lesquels ils me parlent comme dans des porte-voix. Si les trous sont bouchés, j'entendrai moins le raffut. Le papier alu ressemble à du métal. Je n'en suis pas sûre. Faut voir. J'en fais des boules serrées et je les entre dans les fenêtres, les murs et le plafond. Je bouche les interstices, je comble les crevasses. Il faudrait que mes murs puissent me servir d'armure. Je me surprends ensuite à me fabriquer des gants. Je les enfile la nuit pour protéger mes doigts. Je ne voudrais surtout pas que les héréditaires viennent me prendre les mains. Et un vieux, parmi eux, dirait Si j'étais un piano, je les voudrais sur mon dos.

Vivre seule, sans amour est une question de bien-être. Et pour y parvenir, il va falloir trier. Résolution, couture. Sur ma toile à broder, depuis hier, je me dessine. Et retends quelques traits avachis par la vie. Toute trace de ressemblance doit être anéantie. Je me lifte, me répare. J'établis mon visage parallèle, le même, vierge de tout, qui n'aurait rien senti jusqu'ici, et rien vu. Je veux aimer une seule fois et commencer maintenant. Être aimée en confiance par le bébé, dedans. Je voudrais qu'il sente, déjà, que je le défends sans cesse. J'aurais tellement aimé que ma mère soit de mon côté.

Mais ma mère a peur que je me comporte mal pendant ma grossesse, use d'un langage peu approprié à l'éducation d'un enfant, accouche sans douleur au risque de rester paraplégique, puis allaite sans stériliser mes seins. Chaque fois qu'elle y pense, elle est obligée de mettre son manteau en cape sur ses épaules pour s'extraire du grand froid qui l'envahit. Elle se réchauffe un peu, aussitôt rattrapée par la peur du prénom. Elle n'en dit rien car le choix du prénom fait partie des tabous de la famille. À ce sujet, elle a toujours enseigné la discrétion aux enfants. Il n'est pas temps de se dédire en exigeant le contraire. Sur des œufs, elle signale toutefois que beaucoup de prénoms à la mode sont ploucs.

À propos du bonheur, elle reste réservée. Elle n'arrive pas à s'exciter gaiement de ma grossesse, elle ne comprend pas pourquoi une bonne nouvelle à l'approche de son cerveau se recouvre forcément d'un voile noir. La légèreté ne fait plus partie de l'accueil. Elle me transmet son amour pour moi dans de petites barquettes qu'elle remplit de purées de navets, de poires et de pommes de terre, et dépose, entre deux blocs de glace, sans sonner, devant ma porte d'entrée. L'amour est une aventure compliquée. Le sentiment animal qui pousse vers le bébé l'a toujours répugnée et, à force de distance, elle en est là. Elle ne sait pas par où entrer dans l'amour pour s'y creuser une place. Elle me livre aussi de la viande, une très bonne viande, la seule bonne viande, pas la peine d'en acheter une autre, ma viande est mauvaise, elle seule s'occupe de la viande.

N'appartenant pas au passé qui lui donne le cafard, ni au présent, qui l'angoisse, ma mère n'envisage pas non plus le futur car le futur est la mort. La danse active qu'elle effectue en boucle, auprès de chaque membre de la famille, présentant les trésors d'une existence nettoyée, repassée, homologuée, est une danse funèbre.

Mon père a pris un crayon à papier et fait un trait supplémentaire à l'arbre généalogique, qu'il a effacé pour conjurer le mauvais sort puis repassé à l'encre pour finalement encourager le sort. Il a tracé un rectangle où il écrira le prénom de mon enfant, estimant au jugé la place nécessaire à un prénom simple ou composé. Idem pour le nom de famille, si je venais à accoler son nom à celui de mon mari. Mon mari ?

Je ne suis pas mariée. Un héros des sommets ne

se marie jamais. Mon homme est une puissance, une averse, une tempête, une espèce d'avalanche. Un héros prenant femme ? Superman et sa douce ? Zorro et sa gonzesse ? Impossible. Mon homme est un héros solitaire. Je suis une héroïne solide. Chacun dans son décor et notre bébé sera bien gardé.

Tant mieux, commente ma mère. Ne vous mariez pas. Divorcer coûte cher. Mais vous devez voir un notaire. Si ton gars dévisse, tu n'auras rien, le bébé ne sera personne. Je suis contente que tu veuilles qu'il porte son nom. Si ton gars te plaque, tu détiendras au moins une preuve qu'il en est le père.

Ma mère n'envisage pas qu'un homme puisse aimer mon bébé. Je cherche un trou dans son manteau, une place à prendre un court instant. La peur lui fronce les nerfs, les yeux, elle ressemble à une bête perdue. Mais l'attraper pour la soigner est impossible, elle est sauvage. On ne peut plus atteindre son cœur, il appartient aux loups, aux bruits, elle n'appartient plus aux humains. Il ne faut pas que ça se voie, me dit-elle, ne te marque pas le ventre comme ces femmes enceintes.

Elle précise : Pour le moment, tu t'habilles bien. Mais je vais te dire quelque chose…

— Oui ?

— De toute façon, si tu te montrais, je ne sortirais pas avec toi.

Je ne sais pas quoi penser quand je suis élucubrée. J'ai trouvé un terrain sur ma toile à broder et je me balade dessus. Trente centimètres par vingt, ce qu'il faut pour me reconstruire. Je brode, j'oublie autour. Je brode des personnages sans bouche et sans oreilles, des regards aux yeux clos. On prend, c'est pop, on parie sur le gros buzz. Pendant que je me concentre, les héréditaires m'entrent. Je croyais à l'amour pur, celui que j'avais en tête et qui me suffisait, je venais de le rencontrer, l'homme idéal, parfait, j'étais tombée enceinte, mais voilà qu'on me triture, on me dissout, on m'extrait, on tranche dans le silence pour me parler de notaire. Oui ! Les héréditaires ! Vite ! Demande au notaire de bien te séparer de ta pièce rapportée. Ne lui laisse pas accès à tes comptes, à tes legs. Elle arrive de nulle part, cette pièce rapportée ! Oui ! Lui ! Ton gars ! Ton homme ! De qui veux-tu qu'on te parle ?

On le connaît à peine ! Il a même un espace rien que pour lui, vlan ! Chez toi ! Il faut lui indexer un loyer. Prorata. Il respire de ton air. Il doit payer, ce gars-là ! Tu le laisses faire, petite poule, tu n'anticipes rien, tu te fais mettre en cloque, et après ? Un enfant, c'est du blé. On établit le budget. On ne se lance pas, on pense, on réfléchit. Calcule ! On n'aime pas en aveugle. D'abord, on anticipe. Arrête de te fermer quand on te parle ! Ouvre-toi !

J'ai trente-sept ans. La nuit, je sens les commissures de mes lèvres fondre vers le bas. Je grimace. Je vieillis. Je voudrais dormir en souriant, le drap chassé, les bras relevés derrière moi, avec quelque chose d'intéressant dans la main, peut-être une souplesse à l'ouverture des doigts. Souvent, je redoute ma lente chute vers la sécheresse, l'atavisme. Je voudrais devenir un pas de loup, une ornière, une impression, un cri. J'ai lu dans ma presse personnelle, celle qui s'imprime quotidiennement entre mes jambes, que j'étais fugitive. Pourtant, j'ai l'air statique.

Je suis étonnée de me trouver une bouche, des yeux,

et plus globalement la tête de tout le monde, car dans la vision que j'ai de moi-même, je n'ai plus d'organes. J'ai une superficie et une profondeur, ainsi qu'un contenu recouvert d'une paroi de métal qui ne permet à aucune protubérance comme un nez de sortir. Mon dedans est dense, j'en suis sûre. Je me connais en général. Et l'univers qui m'entoure en particulier. Le son a une colonne vertébrale, les héréditaires contiennent des fous, ils m'envoient leurs corps d'élite. Pendant qu'ils me font la peau, je ne réfléchis à rien. Sauf à l'hérédité. Là, je me défends de plus belle. Je fais des ciseaux, des pédalos, je suis dure. Je ne céderai pas mon ventre. Je veux un ventre libre et seul. Mais les héréditaires ne l'entendent pas ainsi. Un petit être à former est une mission totale. Je les dope avec mon ventre plein. Je vois bien que je les insuffle !

L'œuf va nous représenter, dans le monde, après notre mort ! Il aura nos principes ! Notre légende ! Nos idées ! Garçon ou fille, qu'importe, le tout est de lui dire d'où il vient, ce qu'il porte ! Notons dans un carnet l'histoire de ses ancêtres, racontons-lui les drames, chantons-lui les rengaines. Il doit savoir par cœur ce que nous contenons, le contenir à son tour, et ne pas déborder. Notre histoire familiale est une lutte. Nous n'accepterons pas qu'un vaurien s'en déleste. Ou, si c'est une vaurienne, qu'elle se lie à quelqu'un qui la vole, la dépouille. Nous savons ce qui est bon pour lui, pour elle, elle doit choisir de nous aimer, nous, pas le camp adverse, mon Dieu ! Le camp adverse ! La famille de son père ! Est-elle nombreuse ? Présente ? Des païens si ça se trouve ! Baptisons-le maintenant, gardons l'œuf sous notre coupe, nous ne voulons rien connaître du camp adverse, assez ! Nous ne subirons pas les pièces rapportées ! Laisse-nous faire, petite poule. Tu as un métier instable. Et maintenant, la broderie ! On va couver l'enfant, on le rendra content. Avec toi, il sera triste, il aura peur de tout, il espérera te plaire mais n'y arrivera pas, tout ce qui te plaît, c'est toi ! Ta paix et ton silence ! Et ton bonhomme. Peut-être. On te connaît. Ça passera. Laisse-nous l'œuf, on te déleste, va broder, allez, va, te dérange pas pour ça.

Je vis, à trente-sept ans, entourée d'une peuplade. Ils sont peut-être invisibles, mais ils me parlent tout le temps. Depuis que je suis enceinte, ils me bavardent sans cesse. Viens, viens, viens ! Non. Non. Non. Je n'écoute pas. Je me replie dans mes quant-à-moi quand les héréditaires viennent me trouer le bal. Ils sont partout. Avec leurs petits conseils, leur dégueulis d'astuces, t'as pensé à la crèche, au pédiatre, aux varices ? Il te faudra faire ci, surtout refuser ça, ne prends pas, exige, retiens, compare, tolère, remercie, dis encore, écoute-nous quand on te parle.

Le sol n'est plus support, il est meuble et peut m'engloutir. Du coup, je deviens amie avec tous les objets, je souris dans la maison au décor qui m'entoure. Je me dis que moi et les choses, on sera fortes comme l'armée pour défendre mon bébé. Si je m'acoquine à fond avec mon mobilier, je prendrai à mon tour une ampleur objective. Je cire les commodes, je brique les bibelots. Elle nidifie ! radote le mur. Ouf, elle prend soin des meubles, les meubles c'est la famille, respect, histoire, mémoire !

Non. Je prépare un décor où vous serez transparents. Je compte vous effacer, peu à peu, un à un.

Le courrier contient des vipères. Et la lettre qui aura ma peau est écrite en langue de serpent. Je cherche le bon langage pour me faufiler entre leurs mots d'humains. J'ai déjà commencé à converser dans une langue pratique, une langue par en dessous. Je sors de la lignée, je m'enferme dans le silence des choses, je perds ma langue maternelle, et je découvre ma vraie voix, je m'exprime dans mon fil à coudre, et je comprends ce qui s'y dit, je peux raconter jusqu'à la couture des pantalons. Je traduis le monde autour de moi en le faisant circuler par ces fils. Je m'exprime dans une langue-veine pour que les héréditaires ne me pigent pas. Eux, à part b.a.-ba, ils ne savent pas. Il m'arrive de serrer un torchon dans mes bras, parce que dans sa couture je sens un souffle. De l'air dans un couloir, frais, et l'appel au bout, mais je ne sais pas vers quoi.

Mon objectif se dessine. Je me refais, me refabrique, je vais me coudre une nouvelle peau. Pour le moment, je débute. Je peux écrire ma table des matières ou me dessiner un contour mais pas plus. Je prépare dans ma tête une réduction de mon être. Pas moi en plus petit, mais moi en invisible. Je suis parfois heurtée par mes étrangetés. Mon génie passe trop vite. Je n'ai pas encore réussi à le développer. Dès que j'y travaille, des questions m'assaillent, toujours de façon urgente. *Voulez tous rendre possible la nuit sur le ring ? Pourquoi le stim bat ? Qui a bu le potiron du Sahel ? T'as vu la spèze ?* Je veille sur ces interrogations éparses, le temps de reconstituer leur puzzle. Elles sont mes ombres sœurs, elles prennent des trains fantômes. Je comprends qu'elles arrivent pour tromper les héréditaires.

Qu'est-ce qu'elle raconte celle-là dans sa tête d'allumée ? Pourquoi on ne saisit pas, tout à coup, quand elle parle ? La poésie, c'est bien mais on n'y comprend rien. On doit la recadrer. Vite ! Tenez-lui les pieds ! Attrapez son bébé ! Ils m'entrent par la crevasse. Je me serre autant que je peux. Par en bas, c'est fermé, vous ne devez pas forcer.

Je les abrège, je les alterne, je les fais taire. Un moment. Je me demande s'il y a en moi la possibilité d'une cavalcade. Si mes yeux sur les héréditaires sont des clous, des ampoules ou des aimants. Alors je pars au futur. Au futur, j'atterris sous un parasol qui arrête tout, même les ondes. Mais pas le soleil. La nuit, entre les murs, je bronze. Ombilic et compagnie, rien à faire. Au futur, je prends une pause, il fait chaud.

Où es-tu petite poule ? Prends un peu garde à l'œuf ; à force de voyager, tu vas nous le fausse-coucher.

Votre gars a dévissé. Crampons mal accrochés, face nord hyperglissante, plaque de verglas, chute de six cents mètres (quatre cents de dénivelé), bouillie au sol. Ratatouille. Triste fin mais grand héros.

Le téléphone sonne et je réponds. Si c'est le refuge, je raccrocherai vite, je n'entendrai pas. Je veux bien qu'il meure si je ne le sais pas.

Ce n'est pas le refuge.

— Je suis honnête, je n'ai pas été ensevelie par la joie avec ton histoire de bébé, me dit ma mère. Mais je serai là si tu m'appelles au secours.

Son rôle la frustre avant qu'elle le remplisse. Contrairement à ses amies qui ont redouté le moment de devenir aïeules et d'avoir, en plus, à en porter le sobriquet, puis compris la beauté de leur âge en accueillant le nouveau-né, ma mère craint seulement de devenir le témoin muet, ou presque – ses silences sont des hurlements –, des traitements subis par mon enfant, mauvais sans aucun doute puisqu'ils ne seront pas infligés par elle. Ne t'inquiète pas, me suggère mon père. En fait, elle a peur de s'attacher au bébé, elle préférerait éviter. Tu sais comment elle est. Elle n'aime pas tellement les enfants des autres.

Après son appel, je lui poste un cliché d'échographie, par refus de prononcer les mots médicaux qu'elle aime trop. Elle ne me répond rien, ou bien qu'on ne le voit pas. Elle dit Le ou bien La. Si je lui confie ma préférence pour un garçon, elle me juge idiote. Une seule chose a de l'importance, un enfant normal. Après, fille, garçon, on s'en fiche. Une autre fois, j'envoie le nouveau cliché d'échographie, et elle me répond qu'il n'est pas très beau. Plus tard, je lui fais remarquer qu'elle est la seule à me dire des choses comme celles-là, ma mère, mais il faut que je me décoince, plaisante-t-elle. Je ne suis pas marrante.

Je suis dense, soudain.

Elle m'invite à visiter leur nouvelle salle de bains. Passe te laver les mains. J'hésite. Pas de raison de me presser pour découvrir leur carrelage s'ils ne s'extasient pas sur l'échographie. Ma mère m'envoie des messages. Viens voir notre salle de bains. Elle a choisi de beaux carreaux. Quatre carreaux forment un pot. Je suis la bienvenue dès maintenant, je pourrai même prendre une douche ou me laver le derrière. Ils ont plein de serviettes de bain assorties à la frise. Je suis forte, je me le promets, je n'irai pas. Il est injuste d'aller voir leur carrelage si eux ne commentent pas correctement l'échographie. Je vais prétexter que je pars à la montagne avec mon héros, tempête de neige, peaux de phoque, plaques à vent, spindrift, Bolino hachis Parmentier, glagla, bonne rafale, je vais balancer tous les mots que je connais. Ils vont être épatés. Ma mère m'envoie un autre message sur son carrelage, elle est triste parce qu'un des joints est fissuré et un des pots fixé à l'envers. Quant à la frise, elle regrette de ne pas l'avoir choisie rose finalement. Alors mon cœur se retourne, et je fonce. Elle me fait une farce. Elle m'attend, avec mon père, tous les deux avec des mots en bouquet. Je dois vite aller voir leur carrelage. J'ai le cœur qui bat. Je leur fais la surprise, je sonne à leur porte. Ah ! Te voilà ! Je bois l'eau de l'accueil. Petit chocolat. Miam. Assieds-toi, faut pas rester debout, surtout pour se tenir de travers. Avant de t'asseoir, fais donc un tour dans la salle de bains. Je me lave les mains. Le derrière, pas la peine. Mais je peux, si je veux. Ma mère insiste. Je tends l'oreille. Top départ des compliments pour l'échographie. Rien ne vient. Je dis quand même que c'est triste, ce joint. Et t'as vu le pot ? me demande ma mère, il n'a aucun sens.

Mon père fait des allers et retours sur le balcon. Il aimerait beaucoup caresser une mouette. Je la reconnais, me dit-il, c'est la mouette de l'année dernière, elle est revenue, on est amis.

Ma mère me demande des détails sur le métro, ai-je eu chaud en venant, aurai-je chaud en repartant, la Sécu ne peut-elle pas me rembourser des taxis. Ils vont se lâcher, me sauter au cou, me dire que mon bébé a l'air gentil, beau, au moins intelligent. Je vais rester chez eux pour dîner. Dormir. Bien bordée avec les compliments qui fuseront. Faut voir. J'ai toujours tendance à m'emballer.

Bon. Je vais y aller. S'ils me voient remettre mon manteau, ils vont se dépêcher de me dire des mots. Bon retour, me souhaitent-ils. C'est sale le métro, murmure-t-elle.

Je vais y aller. J'y vais. Je les embrasse et je quitte leur appartement. Je marche et mon cœur se soulève. Ils vont m'appeler pour me dire les mots. Même si ma grossesse les épuise. Mon père prendra le taureau par les cornes. Mais les voilà déjà au bord de leur nouvelle baignoire. Ma mère a troqué son manteau contre un peignoir dont elle regrette l'achat parce qu'il lui marque le ventre. Elle entre dans son bain et mon père lui dégage le front quand de trop nombreuses mèches de cheveux mouillés lui brouillent la vue. Au début, elle le remercie, mais après elle s'agace, à cause de ces mains sur elle ; il faudrait créer une eau moins humide, plus sèche ; à cause de moi qui me fiche totalement de la baignoire en plastique qu'elle voudrait me transmettre pour mon enfant ; si tu le laves, a-t-elle précisé.

Depuis que j'ai quitté leur appartement, elle se sent

triste comme à dix ans, quand son père l'a emmenée seule un week-end et qu'elle était partagée entre le plaisir de fuir avec lui pour toujours et la peur de rester dans l'ignorance de ce qu'ils avaient fui.

Je consulte mon téléphone et je reçois un message de ma mère qui me souhaite un bon retour, avec un métro pas trop bondé, elle espère. Préviens-moi quand tu es chez toi, ajoute-t-elle.

Cette fois, je le décide, je n'ai plus de parents.

Ensuite, ma mère m'envoie la photo de la mouette posée sur leur terrasse.

Tu es rentrée, oui ou zut ? insiste-t-elle.

Je rentre tout au fond de moi, je ne peux pas lui répondre, je prends une douche sous les chiures de mouette.

Les attaques redoublent. Les héréditaires se déguisent. Je me couche contre le tuyau chaud, ma toile à broder sous la tête, et je rêve que je tousse des crapauds. Ils me réveillent pour m'interrompre, ils parlent dans ma broderie. Ils se soucient de moi, à cause de mon drôle d'état. Ils veulent dire l'état d'enceinte. Leur gorge est gonflée, ils doivent décharger, ils ont les pupilles blanches.

Exprime-toi mieux que ça ! Tu bouges trop, te lève pas, te baisse pas, demande à voir le pédiatre avant que l'enfant naisse, il faut prendre rendez-vous, tu as pris rendez-vous ? Et bien lui dire docteur, ne pas l'appeler monsieur, apprends-le à l'enfant, monsieur ne suffit pas. Docteur, et c'est comme ça. C'est un con, certainement, ils sont cons aujourd'hui, tous, y a que les morts qui valent. Mais il faut faire avec. Prends ton con comme il est. Mais changes-en s'il l'est trop ! As-tu pris rendez-vous ? S'il te connaît avant, il te comprendra mieux. Appelle-le le dimanche pour voir s'il te répond, demande-lui s'il se déplace quand l'enfant a de la fièvre, montre-lui qui tu es, ne fais pas comme ces mères qui délèguent, ne délègue pas. Exige des demi-vaccins, choisis le bon thermomètre. Pour le bain, pas la peine, tu le trempes, tu le ressors, surtout ne mouille pas sa tête, l'huile de calendula ? Quoi ? C'est n'importe quoi !

Je peux boucher mes oreilles mais j'entends tout, quand même, alors je me concentre sur des yeux qui ne sont pas les miens. N'importe lesquels, dans un journal. Et je me regarde à travers eux. Je veux voir si je suis réelle parmi le monde réel. Après, je pourrai agir. Mais par les yeux des autres, ce n'est pas moi que je vois, même si c'est bien moi que mon reflet dans les yeux des autres regarde. Je pose mon doigt sur ma crevasse, je ne veux pas qu'ils m'entrent par en bas. Ils reculent encore. Je gagne toujours.

Je sais des choses. Mais je ne les remonte pas vers ma pensée sinon les héréditaires vont me les voler. Donc je les laisse en bas, au rayon où ils n'entrent pas. Pas encore. J'ai peur d'être minimisée par les héréditaires. Ma crevasse s'écarte doucement avec l'arrivée du bébé. Je dois l'empêcher de s'ouvrir sinon l'armée d'héréditaires risque de passer. Je me contracte. Je tiens fermée. J'ai de la peine à exister.

Mon gars lit au salon. Il est rentré de la montagne pour partager mon insomnie. Il me parle. Il fermerait bien la cheminée avec une plaque de verre pour que la chaleur diffuse mieux, mais il la laisse ouverte parce qu'il dit que l'odeur, l'odeur du bois qui flambe, doit pouvoir s'échapper. Moi, je pense le cri, le cri du bois qui flambe. Je veux pouvoir attraper une braise du bout de la pince, si un héréditaire s'échappait des conduits. J'ai peur de la cheminée qui deviendrait une télé, avec les gens, derrière, qui danseraient dans les flammes. Ils m'enverraient du froid. J'ai déjà les doigts bleus. Mon gars me demande si j'ai envie d'aller me recoucher. J'ouvre les yeux, je crie :

— Je dirai au marshal que tu tues des pélicans !

Quand j'ai des phrases qui viennent barrer ma tête, je sursaute. Qui parle dans moi ? Mon gars reste là, tranquille et sûr de lui, assis à côté du tas de bois. Je ne peux pas lui parler. Parce que je le soupçonne. Héréditaire ou pas, je ne l'ai pas encore classé. Et je le tiens sous contrôle en y pensant à peine. Je le garde à distance et si je continue, je vais le mettre hors de lui. Plus tard, tout ça, plus tard. Pour le moment, je réfléchis. Héros ? Satyre ? Héréditaire ? Homme libre ? Je cherche les indices pour savoir si je lui donne la main. Il ressemble à un homme que je pourrais aimer, mais je n'en suis plus certaine et je pars me coucher. Je laisse la lumière allumée. Il vient quand je l'éteins, alors je n'éteins pas. Je l'entends activer le soufflet sur le feu.

Dragon, me dis-je alors en fuyant le sommeil, mais sans me relever pour ne pas le croiser. Que fait-il au salon ? Il dit qu'il m'accompagne, mais si je découvrais qu'avant de me rencontrer, déjà, il me trahissait ?

Ta mère se fait du souci pour toi. Elle a vraiment peur que ton enfant soit débile, me dit mon père. Elle angoisse, elle ne dort plus. Elle craint un handicap mental, style légume, ou un handicap physique, style légume. Les deux. Enfin l'un ou l'autre, de toute façon, elle y pense. Crois bien qu'elle a reçu ta grossesse de façon positive. Mais elle tremble. Elle voudrait que ton accouchement se passe au mieux. Elle n'aimerait pas que tu restes paralysée. Elle se tait afin de ne pas s'immiscer, mais elle pense que tu devrais préférer à toute anesthésie un petit coup d'éther au moment de la délivrance. Elle a peur, ensuite, que vous n'ayez pas assez d'argent pour élever le bébé. Un enfant dure vingt-cinq ans, tu sais.

Pas plus ?

Et puis surtout, elle sait que ton gars et toi, vous ne resterez pas ensemble. Tu n'es jamais restée longtemps avec personne. Pourquoi avec lui, alors qu'il y aura ce bébé pour semer la zizanie entre vous, pourquoi, donc, les choses marcheraient avec lui ? Il a l'air très correct, ce garçon, on n'a rien contre lui, mais il faut la comprendre, ta mère n'aime pas qu'il fume. Et puis elle ne le connaît pas. Au fond, elle ne comprend pas pourquoi tu n'es pas plutôt restée avec un type âgé.

L'autre là, précise ma mère, tu en dis pis que pendre mais il t'a plu à une époque. Il avait le défaut de ses qualités, et au moins, avec lui, tu voyageais dans des conditions correctes, tu dormais dans de beaux hôtels, et au moins, quand il retrouvait sa femme, tu avais la paix. Tu aimes avoir du temps pour toi, non ? Au moins, avec lui, tu n'aurais pas eu d'enfant. Un enfant est un fil à la patte. Il ne t'en aurait pas fait, il était lucide. Et tu portais de belles robes de soirée. D'ailleurs, je ne comprends pas tes cheveux, me dit ma mère, tire-les en arrière, ils pendouillent. Et puis surtout, je vais te dire quelque chose.

— Oui ?

— Je ne comprends pas pourquoi tu as des boutons.

Je me plains auprès de mon père. Elle n'a rien contre toi, me dit-il, mais elle trouve dommage que tu t'enlaidisses. Tu sais bien que ta mère est directe. Elle a de l'humour. Elle blague. Si tu l'appelles au secours, elle sera là.

Je me dépêche de retrouver une source de chaleur. Je soulage mon dos. Je me recroqueville. Ma mère pourrait, peut-être, m'adresser quelques grâces. Je ne peux plus compenser chaque vacherie par une bite. Je suis fidèle au gars. Je l'aime. C'est un héros. Le mien. Lui, je l'aime. Mais elle… Pas de vrai compliment, jamais. Quelques injonctions, l'air de rien. J'aimerais que tu te fendes d'une lettre convenable pour Mme Réké qui t'offre cette petite boîte à musique pour ton enfant, et écris lisiblement pour une fois. Une bite par vacherie, j'ai décrété ça à quinze ans et demi, je me suis réparée de chaque réflexion avec un T'es belle, un J'te veux, un Pars pas. Pour entendre finalement le bon gars, au bout de trente-sept ans, me dire Tu as du courage, et Tu es un trésor.

Personne ne m'avait dit avant lui que j'avais du courage. Pour s'en apercevoir, il faut me tenir la main. Sans gant, je n'ai pas la peau sale. Pour le savoir, il faut me prendre dans les bras, et serrer. Je sens bon.

— Je n'aime pas ton parfum, pardonne-moi d'employer ce mot-là. Je le mets dans le même sac qu'« ignoble », un deuxième mot que je réprouve, mais hélas, je n'en trouve pas de plus adapté : il pue. J'aimais quand tu avais quinze ans et que je tu portais l'Air du Temps.

Je bouge de moins en moins, je me replie chez moi. J'ai besoin de m'enfermer, mais on frappe, on appelle. Décroche ! Réponds enfin ! Voyons-nous ! On veut te voir ! Tu te planques ? Tu nous snobes ? On dérange, c'est ça ? Je passerais bien chez toi, deux minutes, tu peux pas ? Il y a autre chose, c'est sûr… T'as enflé de la bouche, des yeux ? Tu as les joues qui dépassent ? Tu les vois quand tu lis ? Alors, as-tu grossi ? On voudrait bien le savoir. Nous cacherais-tu ton ventre ? À force, méfie-toi, on va se demander si tu as vraiment couvé. As-tu perdu le bébé ?

J'ai sommeil. Les entendre m'assomme.

Pour ta circulation, prends des bains de pieds d'eau froide, lance tes jambes en l'air, repose-toi, ne cours pas, marche lentement et souvent, ne porte pas de charge, mets des petits talons, n'en mets pas, cours pieds nus, ne cours pas, dans le sable si tu en trouves, oublie le sel, rentre le ventre, attention au diabète, tu as de l'air, c'est normal, moi-même j'en ai souffert, et des remontées aussi, gastriques, on dit gastriques, oh ! ne fais pas cette tête-là, on le dit et voilà, tu ne seras pas épargnée, mademoiselle aura des remontées, elle n'est pas exemptée, elle a beau faire la tête, elle remontera quand même, mais des médicaments peuvent panser les conduits, appelle donc ton médecin, appelle-le, demande-lui, et surtout mange doucement, si tu peux, sans gluten, et surtout mange des pâtes, sucres lents importants pour le jour de l'accouchement, il te faudra des forces, c'est un combat tu sais, je te connais, tu fais gaffe, hein, tu fais gaffe ? À ta ligne, petite poule ? Mais t'es folle ! Les pâtes, c'est de l'énergie ! Mange gras et mange sucré, tu t'en fiches, c'est brûlé. Le bébé avale tout. Il te suce. Tu n'aimes pas ? Va falloir te roder, va falloir t'offrir.

Ils sont là, les glus, à me téléphoner. Où est-elle ?

Pour les semer, les mots, leurs mystères et les héréditaires, j'ai la parade. Je change de temps. Oui, les temps qui se conjuguent. Dans le futur, ils ne me trouvent pas, dans l'imparfait non plus, alors je me balade. Entre les temps, les modes, je ne préviens pas, j'alterne. Souvenirs ou perspectives, je mens même en me souvenant. Jamais de conditionnel, je n'aime pas les hypothèses. Voilà le procédé : les héréditaires me cherchent. Je file au plus-que-parfait. L'imparfait me complique, j'y croise des souvenirs. Que je dois vider, ensuite, pour ne garder que le présent.

Au premier rendez-vous de contrôle, le docteur m'a demandé deux fois si ma famille avait des maladies vasculaires. Il répète. Il ne m'écoute pas. Il écoute seulement le cœur du bébé. Les doigts dans ma crevasse, il pose des questions sur le père, et je me trompe, je réponds sur le mien ; après, tout se mélange dans mon dossier. Je n'ose pas revenir en arrière. En plus, quand je recule, il y a des gardes à l'entrée de mon ventre avec leurs épées croisées. Mais ce n'est pas moi qui les ai postés là. Je ne comprends pas ce qu'ils veulent. Je quitte toujours son cabinet en courant. Il m'a déconseillé le jogging alors je fonce jusqu'au square.

Je respire. Ce qui compte, c'est moi. À quel point je me dépasse. À quel point je me rattrape. Pour le moment, je me cours après mais je ne sais pas si je me cours devant ou derrière, et avec mon affaire de temps, passé, présent composé, futur compliqué, il n'est pas simple de me croiser quand je me double. Je me conjugue, mais si je me conjugue au présent alors que je me suis transportée dans le futur, je me retrouve au conditionnel, et avec les vertiges je flanche. Tout dépend des situations. Je flanche mais je le cache. En vrai, je suis figée contre le mur de ma chambre et je les écoute me dire.

Petite poule, un enfant, tu en prends pour vingt-cinq ans, toi qui aimes être tranquille pour travailler, quelle idée, as-tu pensé, au moins, que le père pouvait se barrer ? Il t'a fait un enfant seulement pour te coincer. Un enfant est du plomb, qui pèse, toute la journée. Et la nuit, je t'en parle pas, le sommeil désormais, ce sera sur une oreille. Du bonheur ? Quelquefois. Mais jamais très longtemps. Beaucoup d'ingratitude, des reproches. Au début, il est bon d'en profiter un peu, quand l'enfant a du cœur, mais ne t'attarde pas sur le cœur et crois-moi, tu as trois ans pour l'éduquer, après les dés sont jetés, l'enfant est mal élevé.

En rêve, je fonds sur une plage au soleil, futur, loin des héréditaires. Du coup, je me retrouve dans un avion entre ici et plus tard, et les trous d'air, je me les prends en plein bide. Le bébé bat dedans, à 145, a dit le docteur, dehors.

La plage ne fonctionne pas. Je ne peux pas m'y baigner, il y a un banc de requins. Il me faut la maison, là-bas, auprès des oliviers. Avec le grand soleil caché derrière le pin, et le mur encore jaune, encore chaud, toujours là, même quand la nuit tombe. Il me faut la campagne. Je voudrais y retourner, mais si j'accouche dans le train ? J'ai lu que parfois le signal d'alarme ne marche pas.

Ma mère aimerait une famille unie autour d'elle avec un gendre qui l'appellerait par un surnom. Elle a jadis connu ce cas de figure, chez une amie d'enfance dont la mère était marrante. Elle en garde un souvenir ému, un peu comme de son premier billot en bois dont elle a longtemps rêvé, mais qu'elle a rayé en l'utilisant sans le respecter assez, ce qu'elle regrette. Oui, je m'en veux, précise-t-elle.

J'ai présenté certains amants à mes parents, moins par civilité que par habitude, mais ma mère a vite tiré un trait sur les surnoms. Elle a bien vu que le profil des gars n'était pas celui qu'elle recherchait. Je la voyais s'évertuer à prendre un air détendu dans l'espoir de gagner une complicité, faute de surnom tendre, mais mes brutes supportaient mal le climat. Ma mère, avec le temps, était devenue froide. J'avais souvent idée que, si je lui enfournais une plaque de chocolat, il en ressortirait un sorbet.

Je n'ai pas présenté mon gars à mes parents. Je l'ai gardé dans mon secret. Mes parents n'ont pas proposé de l'inviter car ma mère a instauré une loi qui lui interdit d'inviter sa fille de peur d'essuyer un refus.

— Si j'appelle, je dérange. Alors je n'appelle pas.

Je vis donc avec cet homme mystérieux. Ma mère lui a sans doute imaginé un visage mais elle ne le connaît pas. Tomber enceinte d'un homme qui nous est complètement étranger est une hérésie, pense-t-elle. Elle aurait pu choisir un proche.

Mes parents savent que mon gars exécute de temps à autre un exploit en montagne ou une prouesse technique. Ils ignorent si cette dernière expression est métaphorique. Mon père imagine son gendre, qui n'en est pas un, précise ma mère, réalisant de beaux saltos arrière sur une poutre, jonglant avec des commodes ou transformant grâce à un principe de chimie très complexe un œuf dur en œuf cru. Ma mère conclut que vivre avec sa fille est une prouesse réalisable seulement par un intéressé. Facile pour lui, il s'est installé dans ton appartement. Je peux te demander de me faire une promesse ?

— Oui ?

— S'il te quitte avant la naissance, tu avortes, n'est-ce pas ?

Ma mère ne sort qu'avec mon père. Si elle devenait veuve, elle n'irait jamais plus dîner au restaurant. Elle ne porterait plus ni robe ni bijou, et pourtant quand elle les enfile pour sortir avec mon père, elle ressent un manque, et si ce n'est pas un manque de robe, ni un manque de bijou, ni un manque de mari puisqu'il est là, qu'est-ce ?

Parfois, ma mère se demande qui lui téléphonera pour lui annoncer la naissance de mon enfant. Si c'est mon gars, elle ne reconnaîtra pas sa voix. Tant pis pour lui. Elle l'appellera monsieur.

Je l'envoie en montagne, je lui dis Pars, ne reviens pas, mais il entend Je t'attends.

Arrête de te mentir ! Chaque soir, il est là ! Il rentre du bureau. Tu l'attends en brodant. Au secours ! Pour qui tu te prends ? Ulysse était puissant. Ton gars, y a que dans ta tête qu'il atteint les sommets. Au bureau, on peut te dire qu'il n'a rien d'un héros. On se renseigne sur lui. Harcèlement sur collègues, vol dans la caisse, arnaque et cavalerie, oui oui, file-nous ton œuf petite poule, on lui servira de père. Le sien, de toute façon, finira en prison.

Je ne peux pas les faire taire. Alors je danse dans ma tête. Mieux, après révérence, j'entends, derrière moi, une sorte de rumeur, comme un applaudissement, jailli du mur d'ordures qui tombe de chez les gens. Je me regarde comme un spectacle. Parfois, mon gars redescend d'un sommet et me raconte sa journée. Héréditaire ou pas ?

Il donne du soufflet sur les braises. Il maîtrise bien les flammes, mais moi, je danse autour. Mon cerveau traverse la pièce en diagonale, seize tours piqués en dedans puis dix-neuf pirouettes sur place. Je m'accroupis pour refaire mes lacets, double boucle, bien serrée, ne pas me prendre les pieds dedans, ne pas risquer de tomber. Il croit que mon ventre me rend précautionneuse. Il me tend la main pour me relever. Je pense à Rudolf Noureev. Je me demande de quelle couleur il aurait repeint son couloir et je me dis qu'il aurait choisi une teinte proche de celle d'une arabesque alors je cherche la couleur des arabesques.

Sur ma toile à broder, je veux coudre la tête de mon gars directement sur ses pieds. Sans corps, sans cœur. On vous suit, on achète, on adore le second degré. Je m'apprête à rire de mon idée mais mon gars repousse. Il est magique. Je me rappelle notre rencontre. Tout me revient d'un seul coup. Je le détaille, rien chez lui qui me fasse berk ou beurk, tout me plaît, j'adore tout.

Oui, mais c'est impossible. J'adore pas l'avenir. On allait pour le mieux. Une idylle amoureuse comme on n'oserait pas dire, et lui et moi en conte de fées, les deux pôles et mieux que ça.

Il aime la montagne, me suis-je d'abord dit de lui, celle des solitaires, en peaux de phoque. Il me fera des soupes Knorr sur un réchaud à gaz. Il mettra le feu à tout, avant même de m'aimer.

Il arrive, superbe, au premier rendez-vous. Je suis à la campagne, dans la maison aux murs épais, toujours chauds même quand la nuit tombe. Je l'accueille sur un quai de gare, manquant trébucher en le voyant débarquer, le vouvoyant encore pour le ramener chez moi. Et lui, apportant le vin, pas de la villageoise des montagnes mais un grand cru, parce qu'il a les deux casquettes, montagnard et distingué, et on boit au soleil, se présentant l'un à l'autre, oh ! comme c'est merveilleux les crevasses. Il me raconte sa chute dans une crevasse bleue, quand il était enfant. Il me parle du bruit des plaques de glace autour de lui. Je pense Ouf, ce gars voyage souvent. Allons donc voir l'étang, sans se toucher, toujours pas, évitant les regards, dos à dos, attendons. D'ailleurs on arrive juste après le coucher de soleil, pour éviter le ridicule. On est si forts. On rentre à la nuit tombée, le montagnard n'ose pas manger, je n'ose pas bouger, on ressent quelque chose en nous qui déborde. On écoute la musique qu'il a apportée, pas du chant tyrolien, juste tombé dans le mille avec son *Tristan*. On monte dans le salon. On s'assied. Je lui prends la main, je la tiens. Il se penche sur moi, il m'embrasse. Je finis sur le carrelage. Il me gravit par en dessous, par au-dessus, je fais des nœuds avec ma tête pour savoir si je vais arriver à lui dire tu. On part dans ma chambre. Et lui, de son côté, fabrique des phrases sans tu ni vous, tombant dans ma crevasse, y restant suspendu. On descend boire un café le lendemain, à 14 h 40, quand on a enfin trouvé la phrase idéale sans tu ni vous. Et si on descendait boire un café ? On se dévore le visage et là, je le dis, je le lâche :

— Ça déborde.

Et le montagnard n'a plus besoin d'autre crevasse. Quant à moi, je n'ai jamais aimé que la neige. Je lui dis que son torse est un métafort, et il trouve ce mot-là poétique. Nous avons pris sur la tête une bénédiction, une fédiction, inventons-nous encore, et qui est la fée ?

Je veux vivre avec toi. Le montagnard se déclare, je réponds oui, et tout est plié. On peut vivre dans deux mètres carrés. Même moins, juge mon gars qui prévoit de m'installer une petite tente dans son bureau, la journée. Il me raconte la crevasse bleue, encore. Il a eu peur et c'était beau. Les deux sont mariés désormais. On fera pareil. Qui aura peur ? Qui sera beau ?

Rassurez-moi, m'écrivait mon gars, me rejoignant à la campagne quand il me disait vous, nous ferons un banquet rien que pour nous deux, n'est-ce pas ? Écrivez-moi si vous vous réveillez au milieu de la nuit, écrivez-moi même si vous ne vous réveillez pas au milieu de la nuit. J'ai hâte de vous suivre dans vos ailleurs. Et j'ai un peu peur de m'y perdre. Ou de m'y rencontrer. Mais si tout commence par un quai, alors je suis rassuré. J'aimerais arriver cinq minutes avant le train mais je ne vais pas y arriver. C'est mieux qu'ailleurs. Ici. Je ne veux plus aller

ailleurs. Je n'arrêterai que quand vous m'oublierez.
Avons-nous pris rendez-vous pour demain ? Je me
réveille et j'ai le mot « magnifique » qui surgit. Alors
je vous le donne. Ailleurs, c'est mieux uniquement si
vous y êtes, m'écrivait-il encore. Terrorisé. Fébrile.
L'impression de marcher vingt centimètres au-dessus
du sol. J'ai une histoire particulière avec les crevasses.
Je vous raconterai. Et puis j'ai envie de vous voir.
Comme on ne voit pas les gens habituellement. Avec
quelque chose à faire. Juste croiser votre trajectoire à
ce moment-là.

Vous êtes plutôt dehors ou dedans la journée ?
me demandait-il, encore, avant de venir. Juste avant
d'ajouter J'ai un peu honte de ma question en fait. J'ai
peur. Je vais descendre sur le quai et me retrouver seul
avec une femme que je n'ai vue que deux heures dans
un café, mais aussi ailleurs, dont j'ai croisé le regard
devant mon bureau où j'étais assis sans en avoir l'air.
Et il y aura la lune. Je vous parlerai de la crevasse bleue.

Qu'est-ce qui lui a pris, soudain, de me multiplier ? Un enfant, il a dit. Je n'ai pas demandé ce qu'il y cacherait. Pour rester libre, faut se taire. Je suis annexée mais pas aux prises. Lucide, je sais ce qui apparaît derrière le héros. Le type qui ne se ressemble pas. Le monstre. Oh ! Mais t'avais pas vu ? Pourtant c'est moi aussi. Voilà ce qu'il me dira quand je l'aurai découvert, alcoolique ou vicieux, menteur ou démoniaque.

T'as raison poupoule ! Démasque l'abruti ! Mets à nu le coupable ! Cherche ses vices. Il en a ! Forcément ! Tueur à gages ! Exhibo ! Voleur ! Joueur ! Tu dois savoir ! La déception est là, dans ton dos. Retourne-toi.

Mon gars caresse ma nuque.

Je le chasse vers les sommets. Mais après, il revient.
N'importe quand. En pleine journée parfois, quand je
ne l'attends pas. Vite, je dois le virer. Un enfant et un
homme, ce serait une destinée qui deviendrait un lam-
beau. Je le repousse, il n'entend pas. Il reste. Mais je ne
suis plus là. S'il s'énerve, un instant, je pars à l'imparfait
et je le retrouve, tout mignon, y a trente ans, sur sa
planche à roulettes avec des bagues aux dents. J'invente
qui je veux avec ma tête. Parfois, je l'efface. Quand il est
transparent, au moins, je peux lire dedans. Chez moi,
il y a des idées et une forme de mystère qui se pose sur
elles pour faire croire que c'est la loi. Il ne m'aura pas.

Mon gars fait semblant de réparer les plaques chauf-
fantes. Parfois, je me demande. Après, je suis sûre. C'est
lui, le chef des héréditaires. En fait, il communique
avec eux, par les câbles électriques. Je sais tout ! Tu
entres en relation avec eux par les câbles ! Tu joues
l'électricien mais en vrai tu pactises !

Je m'enferme dans la chambre en attendant qu'il
sorte. Il croit que je me repose. Il profite de l'extase de

sa multiplication. Lui ! Avec eux ! Ensemble ! Et tout
le temps son regard pour me dire qu'il m'a bien repro-
duite. Maniaque ! Qu'est-ce qu'il me cherche ? J'ai la
preuve que c'en est un. Il vient de parler au téléphone
avec sa mère et il l'a appelée maman. Oui, elle va bien,
lui dit-il, elle souffre de nausées, est un peu fatiguée,
oui, parce qu'elle ne dort pas, mais bientôt on viendra,
je veux te la présenter.

Me présenter ? Pourquoi ? Réflexe héréditaire ! Et sa
mère lui répond qu'elle tricote pour l'enfant. Il me dit,
raccrochant, qu'elle nous fait un trousseau. Elle voudrait savoir si j'aime le bleu, le rose ou si je préfère le
blanc. Que cache-t-elle dans sa laine ? Je vais parcourir
ses fils, en sortir sa légende. Mon bébé ne portera pas
l'histoire de ces gens-là. Je veux qu'il ressemble à son
père mais à peine. Et surtout, je voudrais qu'il ne me
ressemble pas.

Mon gars me surveille. Je l'ai vu ce matin, par la
fenêtre, dans la rue, levant les yeux vers nos volets fer-
més, et me cherchant derrière, qui me cachait, bien
sûr. Essaye-t-il de me surprendre ? Quand il me parle

d'en bas, avec ses yeux inquiets, j'entends comme un coup de fusil dans ma tête. Je peux même dire qu'il vient de la droite. Je regarde, pour vérifier, et je vois l'aspirateur, debout contre la porte, la prise rentrée dans son moteur. Il vibre sur place. Je ne sais pas s'il vibre, s'il digère ou s'il tremble.

Le courrier gonfle sous le paillasson. Veuillez je vous prie récupérer ce corps. On ne sait plus où est la queue où est la tête. Votre homme est mort en héros, attaqué par des aigles dont il a abîmé le nid. Les rapaces ne lui ont pas laissé sa chance. Il a volé avec eux. Paix à son âme.

Il se dégage dans l'escalier une odeur de putréfaction. Les odeurs d'argent, ça monte ou ça descend ?

T'es tarée, petite poule. Pose ton œuf, déjà ! Et après, ferme-la !

Les voix héréditaires, une fois apprivoisées, ressemblent à des hélices et me font décoller. Je fuis, je les abandonne. J'atterris bien plus loin, je me demande si j'ai le droit, si descendre de l'arbre est puni par une loi.
Le monde autour de moi est devenu un tonnerre.

Les gens que je connais, pas seulement les sanguins, me font l'effet d'éclairs. Je ne supporte plus leurs voix, je ne comprends pas leur vie. Il y a dans leur essence un polluant récurrent, une sorte de gaz toxique. Ils me parlent. Je regarde leurs bouches ouvertes, et je vois sur leurs gencives une armée d'habitants. Munis de petites piques, ils creusent des piscines sous leurs dents. Des fœtus à nageoires, étendus sur le dos, font la planche en riant. Je voudrais m'installer dans le kangourou de maman.

Mon héros invite des amis. On va fêter ça ! disent-ils. Un bébé, bon prétexte. Fêtons le bébé, allez ! Tu parles. Ils boivent. Le grand, le gros, le petit. Yeah, la picole est sacrée. Ils boivent en chantant. Je vomis dans ma tête. Et je contracte à fond pour me fermer vraiment. Ensemble, ils font semblant de fêter l'événement. Un bébé, yeah. Avec l'alcool aux yeux, je reconnais moins mon gars. Je voudrais ouvrir le courrier. Vite. Connaître son avenir. Mais la porte me nargue. Elle est trop lourde pour moi. Que contient le courrier ?

Le héros a grimpé le plus haut qu'il a pu mais il était bourré alors il a glissé. Condoléances.

Madame, le héros était froid quand on l'a découvert mais son sexe était chaud, et dur comme une bouteille.

Madame, votre homme a été retrouvé glacé dans une canette. Il contient un message, venez le dépecer.

Ses amis restent là. Je dois penser à partir de chez moi. Me chercher un appartement. Vivre ailleurs. Sans paillasson. Sans frigidaire. Les héréditaires rôdent autour des systèmes froids. Autour du four aussi. Ils surveillent ce qui givre, ils couvent ce qui cuit. Une tourte au fromage. Attention ! Listeria ! Un gratin de légumes ? Et la toxoplasmose ? Es-tu sûre d'avoir bien retiré la terre au moins ?

Les amis enfilent leur blouson, j'ai gagné, ils s'en vont. Mais ils reviennent après. Ils ont racheté de l'alcool. Douze litres, c'est pas assez, on veut vraiment se murger, sinon c'est pas la fête.

Si je les brode pour m'en défaire, ma toile à broder va tanguer. Ils sont là, les trois petits cochons, à souffler sur ma maison. Leur haleine d'alcool va nous séparer. Je voudrais baisser ma culotte, leur tendre ma crevasse à ourler, reculeraient-ils devant ma bouche ? Avec leur gros foie, leurs vieilles dents, oui, ils partiraient en courant. Incapables de me baiser, trop mous, traînant mon gars avec eux, allez, viens vite fêter le bébé. Elle a mal au cœur ? Laisse-la là.

Bouteille numéro 4. Je les regarde encore un peu, je veux les broder. Tant pis pour le tangage. Des gueules pareilles, ça s'œuvre-d'art. Et puis je vais leur préparer un breuvage de fin de soirée. Ils boivent n'importe quoi passé quarante-deux bières. Un breuvage de mon fond, térébenthine-Ajax, qu'on en finisse.

Ils restent. Faut boire encore. Ont pas fini la gnôle. Les héréditaires les tiennent par des ficelles. Ils leur font lever le coude et mon gars les imite. Les amis sont téléguidés. Les héréditaires me les ont envoyés pour me voler le bébé.

Je vais me cacher, changer de pièce. J'enfile mes gants d'alu, je me couche et je les entends. Une conversation très intéressante sur la politique des sommets. Je ferme ma crevasse avec ma main gantée. Tout à l'heure, si mon gars s'approche de ma crevasse pour me décapsuler, il sera électrocuté.

Cette nuit, je me rêve velue, grand fauve. Ma fourrure pousse. À un moment, elle pousse pendant que je la rase et mon rasoir se transforme en cheval de labour, il fend les herbes hautes, les couche mais ne les coupe pas. Je les flanque sous le nez d'un vieil impuissant qui bande quand même en me parlant de mon con. J'en ai entendu, des choses sur mon corps tout au long de ma vie. Qu'est-ce qu'ils diraient, les hommes d'avant, de mon ventre qui pointe maintenant ? Encore, ils déverseraient dans le déversoir. Ah ! dis donc ma beauté, il t'a fourré un gosse, j'aurais jamais pensé qu'on puisse te pénétrer jusque-là, c'est profond. Est-ce qu'au moins t'as aimé ?

Je me demandais ce qui passait dans leur tête à tous, après l'extase. Je suis une pieuvre, j'ai des côtelettes, des chevilles érectiles, une cuisse ironique (la droite), un plexus comme un œil, et même un nid de louve, une moquette grumeleuse par endroits, une soie rare, des parois d'une qualité exceptionnelle, d'amusants interrupteurs, un vagin en braille, une moelle satinée. Mes seins sont des ovaires, des fesses. Avec eux, je confectionne une matière, une sorte de colophane qui me permet de faire deux choses à la fois, glisser sur ce que l'on me dit et adhérer à ce que je suis.

Je me réveille. Je le vois. Il me faut effacer mon gars. Au cas où. Éviter la déception. Elle serait trop vive. Je ne saurais pas la vivre. Je me déplace avec un pinceau imaginaire. Il ne le sait pas. Je le peins en transparent. Mais son visage réapparaît. Je le vois et j'ai peur. Je lui couds les lèvres mais mes ourlets claquent. Alors je brode des jours, et à travers eux je me transporte dans un pays où les gens n'ont pas de visage. J'ai trop de talents enfouis, ils me tuent. Avant, j'étais de la lave. Dans mon volcan, maintenant, il y a plutôt des tiraillements. Et s'il était des leurs ?

Il y a une nouveauté. Je parle à mon bébé. Vous attendez une fille, m'a dit le docteur, hier. Dans la rue, mon gars m'a serrée dans ses bras. Il m'a demandé Ça ira ? J'avais honte. Un garçon et rien d'autre, disais-je depuis cinq mois. On l'appelait le petit alpiniste. Une fille. Bien. Je saurai. Je téléphone à ma mère. Je voudrais que tu me confirmes quelque chose, me dit-elle.

— Oui ?

— Est-ce qu'elle est normale ?

Je vais demander aux amies. Aux muettes. Pas celles qui parlent. Celles qui tiennent le secret des mères dans leur regard. Pas les autres qui conseillent. Je lui parle en silence, pendant que je la brode, à l'intérieur de moi. Je la brode au chemin de croix.

Et que lui racontes-tu dans ta tête crevassée, à ce bébé ? Le nombre d'amants que tu as eus ? Le nombre de fois que t'as baisé ? Faudrait pas qu'elle apprenne pour ton palmarès ! C'est malsain pour une gosse d'avoir une mère impure. Nous, on l'élèvera. Pendant que toi, tu t'abaisses. Résoudre par ton cul l'équation de l'amour. Tu as quand même été chienne, reconnais-le, au moins.

Je me sens accaparée, il y a trop de gens dans mon ciel. Ignoble. Pue. Maternité. Grossesse. Je voudrais qu'on me taise, taisez-moi s'il vous plaît. Si je commence par me taire, cesseront-ils de parler ? N'est-ce pas à moi, d'abord, de faire le premier pas, de décider, maintenant, de garder les dents collées ? J'enferme le son dedans. Au début, sans doute que ça va résonner mais je finirai par m'habituer. Si je ne leur réponds rien, ils devraient se lasser.

Mon amour, me demande le héros, veux-tu aller marcher ? Je lui réponds Hum. Il m'imite aussitôt. Hum-hum. On part marcher. Heureusement, il n'est pas bavard, quelquefois on se tait plusieurs heures. Il serre ma main ou mon épaule. Je lui balance de l'alu par l'intérieur. Je sais comment faire. Je mange des épinards, je me charge le sang de fer. Dès qu'il pose sa main, je décharge. Je décharge par secteurs. Je suis armée. On ne sait jamais. Mais je dois à tout prix l'empêcher de manger du velours. L'antidote contre le fer. On en trouve dans les framboises. Un peu dans le fond d'artichaut et surtout dans le jaune d'œuf. Alors je fais les courses en fonction.

Le courrier a doublé de volume. Le coin d'une enveloppe rouge dépasse du paillasson. La relance est arrivée. J'ai peur.

Madame, on ne va pas conserver le cadavre du héros ad vitam aeternam, venez le chercher à Bardonecchia, on vous le descend de bon cœur mais on garde son matos. On aime bien son harnais. Il est mort en souffrant mais c'est pour la bonne cause. Il a ouvert une voie. Donc sa mort servira.

Chez mes parents, une naissance est toujours considérée comme le présage d'un décès. Il est établi qu'un nouveau-né prend la place d'un mort au sein d'une même famille. Ainsi, mon bébé va remplacer quelqu'un, mais qui ? Pourvu que ce ne soit pas toi, chuchote ma mère. Pourvu que ce ne soit pas moi, pense mon père.

Votre héros a dévissé. Le soleil l'a pris par surprise et lui a grillé les yeux. Aveugle, il a cessé de grimper. Il a attendu dans une grotte, mais comme vous n'êtes pas venue le chercher, il est mort. De son plein gré.

Quand j'en ai marre que mon homme meure, je le regarde vivre. Il attend au salon que la lumière de notre chambre soit éteinte. Après, il viendra me rejoindre. Je la laisse allumée, mais je conserve le doigt sur l'interrupteur. J'ai peur qu'un héréditaire éteigne à ma place. J'ai peur que mon gars arrive aussitôt après, voie mes gants d'aluminium que je n'aurai pas eu le temps de camoufler, et j'ai peur de nos retrouvailles, parce que j'ai peur d'être déçue, aussi, et que mon gars ne soit pas mon gars. Alors je rêvasse encore un peu. Madame, veuillez trouver ci-joint le fragment de roche qu'il a pris sur la tête. L'orage a explosé et il n'a rien pu faire. On le soupçonne d'avoir retenu les deux flancs de montagne qui s'ouvraient, mais l'éclair l'a traversé, il a été contraint de lâcher.

Tu vois, ton gars a déconné. Méfie-toi poupoule, méfie-toi !

Je voudrais que mon bébé n'ait pas peur de la nuit.

T'inquiète ! On le bercera ! Allez, va de l'avant. On est là, rien que pour toi.

J'insulte à tout-va, mais les héréditaires ne m'entendent pas. Déguerpissez. Tous ! Partez ! Il faut me laisser ! Je dis ces mots dans un cône en alu en serrant bien les dents. L'alu est conducteur, à force je parviendrai à griller leurs oreilles. Mourez !

Et voilà que tu recommences, petite poule. T'as pas dit S'il vous plaît ! braillent les héréditaires. Politesse, on exige. Salue plus courtoisement, donne congé comme il faut. Tu couves un petit enfant. Sois un peu moins laxiste. S'il te plaît. On te prie.

J'ai une question mais je ne veux pas que les héréditaires l'entendent. Alors je me la pose, dans ma tête, à l'imparfait du futur et en anglais. Pas l'anglais universel. Mon anglais où j'invente les mots. Ainsi, j'échappe encore. Quand j'échappe, je me sens mieux.

La question est typique. Mon gars me dit Je t'aime. Soit. Mais pourquoi je le croirais ? Il leur montre sa bite. À qui ? Aux autres, bien sûr ! Il passe ses nuits sans moi à leur conter fleurette.

Halte ! Je ne suis pas médecin, soit. Je suis une vulgaire héréditaire mais qu'importe, j'interviens. La petite poule ne serait-elle pas en train de tomber dans la paranoïa ? Je retire le mot. D'accord. Pas de défaut mental dans la famille. Mais une question quand même. Pourquoi met-elle des gants ? Pour dormir, on ne porte rien, ou alors du parfum… Est-ce que je n'ai pas raison ?

Voilà à quoi j'ai droit. Tous les soirs, dans mon lit, Radio Héréditaire en direct des murs, spectacle à domicile, seule sous mon brouilleur d'ondes, qui ne marche jamais, une bouillotte chaude puis tiède calée derrière mon cou. De son côté, mon gars fait bien pire. Il dit qu'il me laisse dormir. En fait, il me ment. Je suis décidément très bien entourée. Il ne pense pas à moi, ni même à mon repos. Il ne cherche qu'une chose, attraper des culs nus. Il mate sur Internet. Il chope n'importe quoi. Ensuite, il les attise. Il envoie sa photo. D'abord lui. Puis sa queue. Je suis sotte. Pendant que je me repose, je crois qu'il pense à nous et se repasse les photos de notre début d'histoire, ah ! Votre début ! Tu parles ! Il boit, il mate, chien, traître, à quoi tu rêves, petite poule ? Et qu'est-ce que tu croyais ? Il mate par la fenêtre aussi. Il cherche, vue sur la cour, une culotte qui traîne. Si les volets sont clos, il joue sur son clavier. Il attend qu'un écran chez une autre femme s'allume, il l'espère, la désire, il t'oublie. Il te trompe. C'est un pervers, une quille, un menteur, un escroc !

Non. Ne les écoute pas. Jamais il ne te trahirait. Crois-le, lui, et pas eux. Vous, c'est la boule tu sais, te souviens-tu au moins ? Lui et toi, en fusion, l'un sans l'autre impossible. Lui et toi comme l'amour, est-ce que tu t'en souviens ?

À qui appartient cette voix différente, dans le mur, qui m'impressionne ? N'est-ce pas la voix de mon homme ?

Avant lui, j'ai côtoyé une centaine d'hommes, à qui j'ai fait croire au printemps avant de les précipiter dans le cercueil. Je les repérais. Je les regardais. J'attendais qu'ils paradent, au café, dans les rues, torses caféinés, bites de paon, et je les envahissais de mon apparat printanier. Le repêchage des vieux était mon hobby. Adolescente, je les racolais. Je les attrapais à la salive, zou, ramène-toi que je te savonne d'illusion, prends de l'illusion, ça ne va pas durer, elle dure pas l'illusion. Ils raboulaient, fossiles.

Leur ventre rentré au prix d'efforts majeurs ne pouvait les sauver de leur délabrement, de leur paupière tombante, de la larme suspendue par je ne sais quel miracle d'un dernier muscle de leur œil. Et pourtant, ils rajeunissaient un instant à mon contact. Sous leur lumière tombée, guettant leur prochain étouffement, je m'illuminais. Aujourd'hui, il existe des veilleuses qui me ressemblent. Elles s'allument d'un seul coup dès que la nuit tombe. Elles économisent l'électricité. Elles sont bonnes pour l'environnement. On dirait des lucioles.

Ah oui, on voit très bien, ces lampions sont jolis. On apprécie beaucoup les lampes écologiques. Aussi. Comme toi. Enfin un point commun. Tu vois qu'on y parvient ! On est des anciens modernes. Des héréditaires évolués. Des potes en quelque sorte. On est tes confidents, viens, vite, et confesse-toi.

La situation empire. Dans les murs, la fréquence augmente. On m'interrompt dès que je cogite. Les héréditaires m'interdisent de penser, m'interdisent de sortir. Je pars dans la salle de bains. Les héréditaires rient là-bas aussi, et j'entends un bruit de fesses. Je crois qu'ils se les claquent. La famille devient pornographique. Les héréditaires m'attendent derrière les toilettes, dans le mur, toujours dans le mur, ils me disent Tu passes pas, y a des lions dans la fosse, chie sur toi. Pourquoi tu chiales ?

Muette, je dessine un cri. Assise sur la cuvette, je deviens une auréole. Si je me regarde de profil, apparaît une femme muselée. Je la vois dans la glace, c'est moi et pas moi. Je finis par avoir peur. Elle jappe.

On ne veut pas s'immiscer mais la peur est présente dans chacun de tes gestes. Il faut voir un docteur, et vite te faire soigner. T'as peur de quoi, poupoule ? Tu sais, il faut te calmer. Mère, on le devient toutes à un moment donné. Tu as cru pouvoir rester une miraculée, mais la maternité t'a chopée au tournant, t'as pas pu résister ! Libre, toi ? On rigole ! Petite poule, tu es des nôtres, tu couves, l'œuf sortira et tu t'extasieras, avant de te reprendre, de constater, quand même, que ton œuf est tout plat. Ne crois pas que tu vas faire un enfant mémorable ! Tu t'unis en passant parce que tu en ressens l'âge mais franchement, laisse-le-nous, qu'on en fasse une légende. Avec toi, on ne sait pas s'il saura dire merci. Commence dès maintenant à lui dire, dis-le-lui ! Merci, bonjour qui, s'il vous plaît et pardon, apprends-lui le pardon, tu verras comme c'est bon quand le petit enfant vient, dos voûté, larme dans le coin, et qu'il baisse le nez pour être pardonné.

Je m'effondre. Mais je me tiens droite. Toux bleu marine, hoquet sombre, cerveau déroulé à la verticale de ma tête comme un paratonnerre. Je sens que la foudre tombe. Le drame a quelque chose d'électrique. Il me garde de la dépression. Dans mon mental, le drame fendille et laisse des fissures XL. Dans la fissure, je danse, ronde de jour et garde de nuit. Je dois prendre le train, et descendre là-bas, sur le quai toujours chaud dès que la porte s'ouvre, comme la porte d'un four. Entrer dans la voiture direction la campagne, débloquer le portail, regarder l'écureuil traverser sans me voir, et m'asseoir quelques jours sur une chaise en plastique fondue par la chaleur.

Mon gars me trouve assise sur les toilettes, il pose sa main sur ma bouche, il me referme, il me recoud, il me rhabille et il me porte jusqu'au lit. Il éteint les voix autour de moi. Il dit seulement que je dois dormir, il insiste, Repose-toi mon amour. Mais moi, je ne peux pas. Je sais qu'il a des femmes coincées sur Internet, étendues dans la cour, nues derrière leur fenêtre, et si elles ne sont pas là, elles l'attendent au bureau, et si elles ne sont pas là, elles habitent dans le placard, la valise, la poubelle. Et si elles n'y sont pas, elles y seront un jour. Et si ce n'est pas encore, ce sera pour bientôt. On finira, c'est sûr. Il les a sous la peau.

Quand mon chien est mort, je l'ai fait incinérer. Un chien de seize ans deux mois, dans une poubelle, c'est vache. Allant chercher ses cendres, j'ai appelé ma mère. Je voulais un Ma chérie, un Courage, un Je suis là. Je l'appelais au secours parce que la rue tanguait, parce que j'avais cinq ans dans ma tête et pas de dents. Rien pour me défendre maintenant, et même plus de chien.

— Que me vaut cet appel ?

— Je vais chercher Lulu. Ses petites cendres.

— Mais fous-lui la paix à cette pauvre bête, tu ne crois pas que tu l'as assez emmerdé comme ça ?

Elle veut dire en le soignant, en le gardant trop longtemps. Je me tais, ajoute-t-elle, mais le martyriser ainsi, malade comme il était… Et d'ailleurs, je vais te confier quelque chose. Oui ?

— Tu l'as fait souffrir.

Je n'ai pas eu de kangourou mais j'ai eu un bon chien. Je raccroche, peinée. Elle l'entend à ma voix, alors elle me rappelle, mais je ne lui réponds pas, je tiens l'urne dans les mains. Elle me laisse un message :

— Tu n'as pas l'air dans ton assiette. Si tu as des choses sur le cœur, dis-les, tu peux compter sur moi, je ne répéterai rien. Je suis une tombe.

Je rentre à la maison avec la lourde boîte. Je la pose sur l'escalier. Je me demande si ce chien mort, posé en évidence, est une si bonne idée. Je m'assieds à côté de lui, comme quand il était là. Je lui raconte, dans ma tête, comme quand il était là, tout ce qui ne va pas, la taille de ma douleur, le manque de kangourou, l'injustice, et la peine. Mais la boîte reste une boîte, j'ai perdu la masse chaude de mon très vieux chien blanc qui déposait sa tête sur la mienne pour me fondre. Je le préférais vivant. Alors je réfléchis. J'ai l'endroit où l'installer.

Je rapporte à mon père la taille de mon chagrin.

— Tu sais, ta mère te secoue pour ton bien.

Bravo sacrée poupoule, et puis surtout merci. C'est vraiment réussi, merci pour ton clébard ! Figure-toi que dans les murs, on n'avait pas besoin de lui. Un clébard est mignon, dans un pré, gambadant. Mais pas dans les souvenirs, parmi les revenants. Une bête n'a pas sa place au pays de la mémoire. Si tu nous traitais comme tu le traites lui, on ne dit pas. Mais tu nous galvaudes tous, et lui, tu le vénères. Bourrique ! Espèce de nouille ! Un enfant, figure-toi, compte davantage qu'un chien. On te prie de ne jamais tenter de les comparer. Folle, folle, tout le monde s'en plaint. Si tu savais ce qui se dit… Ce matin, à son bureau, des gens ont demandé à ton gars s'il riait. Votre vie avec elle n'est-elle pas terrifiante ? Est-ce qu'elle mange, est-ce qu'elle boit ? Elle respire ? Elle sourit ? Peut-être pas… Soyez fort, lui a conseillé son grand chef. Ne vous attachez pas ou vous êtes mort, a commenté le sous-chef.

Les héréditaires m'entrent. Je les chasse mais ils ne partent plus. On dirait mes vieux types, ceux d'avant, avant le gars. Ils se recouvraient de scotch dès que je les virais de là.

Leur manège me touchait. Mes vieux tournaient les yeux de droite à gauche, parce que de bas en haut ils coinçaient, une histoire de migraine, ou de tension oculaire. Flous et denses, ils agitaient leurs airs d'obsédés. Mais je suis mal placée pour tirer des portraits, à cause de ma face cachée, à cause de tout ce que je sais de moi en ce moment. J'avais seize ans, dix-neuf, vingt-deux. Malgré les apparences, les hommes de leur âge n'étaient pas à l'aise avec les jeunes filles. Certains même, encombrés de postures, ne trouvaient jamais leur naturel. Leur vieillesse épouvantable déclamait une sorte de prière que nul n'exhaussait. Pas d'ange relève-bite. Les vieux restaient vieux. J'avais envie de les gifler quand, la bouche pincée, coquets comme un trou du cul, ils se prenaient d'amour pour le lin blanc de leurs trente ans et annonçaient à la jeunette qu'ils venaient de se taper, moi en l'occurrence :

— Tu me donnes bien envie de passer mon permis deux-roues.

Les vieux m'approchaient. Ils balançaient leur sauce. L'un d'entre eux avait constaté que j'arrivais à sourire avec les yeux en gardant une bouche de marbre. Il y avait l'idée négative de rigidité mais une curiosité aimable dans sa déclaration. Il était si content qu'au contact de la nouveauté son cerveau se remette à fonctionner.

— À l'inverse, quand tu souris avec tes lèvres, tu gardes l'œil sombre.

Le poète avait étoffé sa réflexion d'une caresse sur ma joue, et comme mes cils lui faisaient hi-han, il l'avait prolongée dans mon cou, sur mon ventre et sous ma robe, me conviant dans sa cuisine pour fignoler un dessert. Remontant vers mes côtes, il avait murmuré Tu as un pectus, beauté, un pectus excavatum peu profond, ton corps est fendu. Tu es faite comme une noix, en deux parties. Au centre, tu héberges du vide. Tu as besoin d'être remplie. Je suis certain que tu recherches l'envahissement. Pas autour de toi, mais dedans. Dedans, tu aimerais contenir un régiment.

Voilà de l'amour, pensais-je. Faut obéir. Maintenant. J'avais quand même repoussé sa bouche d'un revers de poigne. Je ne voulais pas que tout le monde se permette de s'approprier mes interstices, d'autant que la raideur des héréditaires s'était, déjà à l'époque, installée à la commissure de mes lèvres. Je n'arrivais à me détendre qu'en m'envoyant en l'air. Aucune autre méthode n'était assez relaxante pour effacer le morse héréditaire qui attaquait mon visage. L'alcool n'aidait pas, et pire, aggravait la rigidité de mes traits. Les héréditaires avaient leurs nerfs coincés en travers de ma bouche. Et je ne parvenais à les détendre plus ou moins durablement qu'en suçant une bite.

Les fentes modernes ressemblent à des pailles, m'avait ensuite confié le poète. La tienne a un visage et tes lèvres parlent. Les vieux avaient vraiment leur approche personnelle des trous, et trouvaient de l'érotisme à tout ce qui leur passait sous la main, un coude, un talon, un angiome. Ils avaient des fleurs greffées à la place des empreintes digitales, ils me les répartissaient sur le corps comme des hommages à une morte. Doux, doux et mous, ils étaient suaves. Certains, pères de famille, grands-pères de famille, jouaient les militaires en mission commandée. Ils arrivaient avec la dégaine increvable, j'ai trente hommes sous mes ordres, exécute-toi. Et je m'exécutais. Après, leurs femmes que j'avais détestées devenaient en rêve mes amies. Il y avait pourtant quelque chose de noir sur leurs dents blanches. Elles souriaient mais il n'y avait pas de joie.

Mon gars cogne doucement à la porte de la chambre. Me cogne pas !

Si ! Laisse-le te cogner ! C'est ton gars, il a le droit !

Je les entends fort dans le mur, mais s'ils me venaient dedans, par où je m'en sortirais ?

J'ouvre et je vois mon gars. J'ai le cœur à cheval, qui galope sur le vide. Je secoue ma crinière. À l'intérieur, j'ai des mouches. Quand mon gars passe sa main dans mes cheveux, une crevasse me sépare en deux. J'ai peur que mon bébé se décroche.

— Ça va ? demande-t-il.

— J'ai mal au cœur.

— Dors.

— Je ne peux pas.

Nunuche ! Demande à ton médecin des cachets pour dormir. Tu es complètement idiote de ne pas régler le problème. Il va te donner quelque chose de léger. Faut que tu dormes. Petite poule, tu es vraiment à côté de la plaque. Prends un médicament ! Avale on te dit, avale ! Tu dois te reposer pour pouvoir accoucher. Il te reste quatre mois. Si tu arrives crevée, tu ne pourras pas pousser. Donc dors, et puis basta.

On se tait.

On est là.

On te laisse dormir.

Dodo.

Allez.

Ferme les yeux.

Petit somme.

On veille.

Chut.

Avant, juste une question… Quand tu as fausse-couché, est-ce qu'on t'a bien curetée ? Parce que vois-tu, mémère, si ce n'est pas le cas, ton enfant grandit dans une pièce sale. Es-tu déjà entrée dans la chambre d'un mort ? Reconnais-tu l'odeur ? Vois-tu de quoi on te parle ? Ton œuf grandit là-dedans, dans ce parfum de pourriture. Bravo pour ta jugeote. Se faire baiser juste après s'être trouvée endeuillée. Oh ! mais chez toi, le deuil est un déshabillé. Le noir, tu ne connais pas. T'as tout d'une prostituée.

Je m'endors. Je me réveille. Je cherche mon bébé. Cette nuit, on va me l'enlever, je ne le sens plus bouger, je suis hirsute, pas logique. En fait, je suis un tube. Non, je veux pas qu'on me barrique, qu'est-ce que c'est que ce verbe-là, cuvée 2012, j'ai des mots qui me surprennent, et les phrases en travers, tout le temps, de plus en plus. C'est pas ma faute. C'est eux. Les expressions tordues ne viennent pas de moi. Elles sortent et puis voilà. J'ai les héréditaires sur le bout de la langue. Il faut vomir. Et je ne peux pas.

Madame, votre gars portait sur lui un papier à votre nom. Pouvez-vous payer l'addition ? Hélico, guides, chiens d'avalanche, casse-croûte de l'équipe, prime du dimanche, vous trouverez le détail au dos. Du papier. Parce que son dos à lui, il est pété. Hélas. On n'a rien pu faire. On peut vous le renvoyer si vous joignez une enveloppe timbrée.

Je voudrais penser doucement, musique après musique. Mais mes touches pianotent sans heurter les marteaux. J'entends leurs voix en cuir. Les héréditaires fouettent. Ils changent de ton, de style. Ils battent le rappel, tous ensemble, ils s'excitent. Cette fois, ils vont me le prendre. Le bébé est à moi mais ils vont se vanter de l'avoir fabriqué.

Oh ! L'affabulatrice ! De quoi nous accuses-tu ? hurle une héréditaire. Sais-tu en quoi tu es faite ? En

tissu de mensonge. Une soie rare, infroissable, un revêtement de fer et un liseré de clous. Quel que soit le côté
par lequel on te prend, tu nous trahis. D'où viens-tu à
la fin ? Pourquoi tiens-tu tellement à faire de nous des
assassins ? La famille est un clan. La quitter est puni
par une loi, celle du sang.

On vit tous en famille, et toi, tu fais ta fière, enfermée chez toi avec ton gars sans tête. Quel mystère !
Tu le couves ! Imbécile ! La belle indépendance ! Tu
reviendras vers nous ! On est indispensables ! Héréditaires ! Pas que ! On est. Mais qu'est-ce que tu crois ?
Vois comme ton fruit pousse, ton ventre est arrondi.
Sur l'arbre, il fera joli. Voyez comme il grossit ! Cousins, oncles et tantes, parents et grands-parents, on est
là, on t'injecte la sève qui te verdira. Regarde de quoi
tu as l'air, ton cheveu est dénutri, on voit encore tes
côtes, ta peau sèche, tu flétris. Laisse-toi donc éclater
par l'enfant qui t'habite. Une vergeture est belle, elle
raconte une histoire, comme une ride, tu luttes ! Ne
lutte pas, et rends-toi ! On t'attend. Viens manger,
chaque dimanche, comme au très bon vieux temps !
On te redonnera du pain ! Prends du jus ! Viens sau-

cer ! Broder ta vie ne va pas te la raconter ! Et nous, on la connaît, de ta naissance à ta mort ! Tu nous feras pas gober autre chose que la vérité ! Réagis ! Secoue-toi !

Forçons-la, elle pliera. Elle accouchera chez elle si on la laisse faire. Il lui faut un médecin, un vrai, qui la dirige. Elle a parlé de sages-femmes, ces salopes tortionnaires qui n'y connaissent rien, renvoie-les, tu entends ? Et quand tu accoucheras, pousse comme en déféquant. Attention à tes yeux, tu peux perdre la vue, ne pousse pas du visage ! Tu vas souffrir sinon ! Elles vont t'ouvrir on te dit. Au scalpel. Tu nous crois ? Pourquoi tu nous crois pas ? Et refuse que ton gars assiste à la naissance, le temps des cuisses ouvertes est une affaire de femmes. Si tu le laisses regarder, il deviendra impuissant. Le laisse pas, prends-nous, nous, on viendra ! On sera avec toi, on t'aidera, on poussera ! Lui, il fait semblant. Regarde-le quand il dit Repose-toi. Il dit en même temps Occupe-toi donc du repas. C'est un homme, que crois-tu ? Qu'il sera là ? Jamais ! Un peu les lendemains de cuite pour se racheter, peut-être, mais tu seras seule, ma vieille, seule et vieille juste après ! Tu dormiras par terre, comme un chien, pour le fuir. Tu ne t'étonneras même pas qu'il ne vienne pas te ramasser. Au réveil, tu trouveras des débris de nourriture, des miettes au fond des verres, de la pisse au bord des chiottes, ses amis seront partis mais ils auront signé. On reviendra ! On est là !

Ne compte pas sur ton homme pour réclamer ton calme. Hier encore, ses amis s'installent chez toi jusqu'au cœur de la nuit, sans voir que tu implores le silence, sans voir qu'à s'inviter ils te mettent à la porte. Pourtant ils l'envisagent, Oh ! elle est épuisée ! mais ça ne les arrange pas, ils ont bu, ils sont bien, alors pourquoi te comprendre et puis pourquoi te laisser ? L'alcool, ça les arrange de le boire ensemble. Sinon, c'est pas très marrant.

Nous, quand t'es fatiguée, on se tait, tu l'as remarqué ? Il est temps de te rendre compte qu'à partir de maintenant, tu n'es plus seule au monde. Dodo. Allez. On se tait.

Je ne brode plus de mots. Broder, c'est leur parler, alors je dessine des formes. Rock, pointu, hype, on vous suit, continuez. Les héréditaires sabotent le regard que je posais sur mon gars. Je voulais l'aimer en traître, mais en lâche, je ne sais pas. Il ne me défendrait pas ? Les héréditaires insistent. Idiote, petite poule ! C'est un homme on te dit ! Tout sera bon pour te fuir dès que l'enfant sera né ! Il se mettra au sport, ou bien à la musique, ils ont tous une lubie qui naît avec l'enfant. Regarde-le qui tricote des yeux vers l'horizon. Y a un an, c'était toi qu'il tournait dans ses bras, s'il partait en montagne, il te hurlait Jamais ! Jamais plus je te laisserai ! Où est-il à cette heure ? Dans la pièce d'à côté avec deux amis. Ils boivent, ils sont bourrés. Et quand ils partiront, il matera par la cour une chatte au bord d'une vitre, des loches ou un gros cul.

Tu parles d'un héros. Lève les yeux, on est là. On va te caresser.

Je suis prise d'une secousse.

Accompagne le bébé avec la main ! Il doit se sentir pris. Gagne de l'autorité pour plus tard. Glisse avec lui ou plutôt apprends-lui à glisser où tu veux. Exige. On te montre.

Je ferme les yeux. J'atterris dans un flipper, avec les fosses, les trous et les lumières autour. Le buzzer est ma mère. Je la vois allaiter un chien plat, vide, sans queue, sans tête, et qui brame. Un enfant, c'est magique, me dit-elle, on l'aime quoi qu'il devienne, regarde les criminels. Je suis seule. J'ai un peu peur.

— Tiens, que faites-vous là ?

Doucement, mon gars souffle dans mon dos pour que je réponde à la question que me pose ma mère. À mes parents, j'explique que nous étions dans le coin et avons eu l'idée de passer les saluer.

— De deux choses l'une, vous restez, ou vous partez. Ici, on ne passe pas, précise ma mère.

Mon gars me touche doucement les reins. Je ne sais pas s'il me porte ou s'il me pousse. Mon père approche une chaise pour que je puisse m'asseoir. On se tait. Personne ne nous félicite. J'entends le ping-pong dans la tête de mes parents. Il a l'air sympathique, timide, mais voilà une qualité, il est souriant, bien à l'aise fina-lement, il sait poser son corps, pourtant quel malotru, il aurait dû lui dire, à notre fille, qu'on ne fait pas ces choses-là. On ne débarque pas ainsi à l'improviste chez les gens, n'est-ce pas ? Il ne le sait pas ?

Ma mère regarde sur le côté, puis retourne à ses genoux. Mon père tourne autour de la table, avec son beau sourire. Ma mère lui demande de nous resservir du champagne. Ils l'ont ouvert pour nous fêter.

Elle veut me saouler, elle ne pourra pas nous prendre, ni moi, ni mon bébé. Mon gars boit dans mon verre. Il vole mes pensées, lui aussi veut me trouer. Je vais fuir. Après.

— Je me demande quand on va enfin sortir de ce temps pourri, déclare ma mère.

Vide, ils me voudraient vide. Tous ici, je le sais. Même mon gars. Il sourit. Je le trouve bien poli. Et s'il rejetait le bébé ? J'ai vu qu'il m'adorait quand on s'est rencontrés. Mais depuis ? Depuis, il me trahit. Je le sais. Il est très bon acteur. Par exemple, il rentre du bureau. Il va au tas de bois. Il ne prend pas des mines froncées ou pénétrantes, il ne fonce pas vers moi en murmurant Chérie avec un air crevé, symbolique, maître à bord, option héréditaire, contenant un mal de dos, ou au moins un petit rhume, Ah ! ce que je suis épuisé d'avoir tellement donné, grosse journée darling mais à présent je suis tout à toi. Non, mon gars ne dit rien. Il va seulement attiser le feu. Puis il m'approche doucement, pose la main sur ma joue et m'embrasse. Sauf quand je détourne la tête. À cause de la nausée. Et de la soudaineté. Alors là, il s'échappe sans jouer au grand blessé. Je peux me rapprocher doucement, prendre mon temps, il m'avale. Il y a des choses qui me reviennent sur lui et moi, avant. On se couchait heureux, on se réveillait contents.

— Tu vas demander une amniocentèse ? dit ma mère.

Elle a peur que votre enfant soit débile, explique mon père à mon gars, ouvrant la baie vitrée pour fumer dehors. Elle est très préoccupée par cette naissance. La pauvre se souvient de sa cousine débile, une chauve aux jambes molles. Elle a été marquée dans son enfance. Elle a peur, elle n'en dort pas la nuit. Elle y pense tout le temps. Mais moi, je suis content. Laissez-moi vous présenter ma mouette.

J'essaye de détendre mes oreilles. Un exercice complexe
sur lequel je travaille depuis quelques semaines. Les choses
doivent y passer sans jamais se fixer. J'écoute ma mère
et mon cerveau se relâche. Je provoque moi-même une
récréation, un incident vasculaire. J'entends avec les yeux,
je réponds avec le nez. L'amniocentèse est une très bonne
invention. Ma mère l'aurait exigée si elle avait déjà existé
en mon temps. Elle craignait tant que je sois débile. Elle
m'explique un peu mieux, les jambes molles, la tête en
arrière, les cris pour seul langage, le regard creux, la bête.
Et les héréditaires viennent recouvrir sa voix. Avant,
quand elle parlait, je me récitais des vers, mais maintenant
je ne peux plus, ce sont les vers qui me récitent.

Gare aux pots d'échappement, il faut une poussette
haute, suspendue, rembourrée, et le dos, pense au dos,
ton bébé va pencher ! Écoute-nous, débile, nous on sait !
Ton arrière-grand-aïeul était un spécialiste. Nous avons
tous suivi ses préceptes, son avis. Reste chez toi au début,
ne le sors pas, on viendra, un par un, pas de cohue, pour
le bébé c'est mauvais. Il ne doit pas sentir les autres

autour de lui, il ne doit pas sentir tout court, d'ailleurs lave-le ! Et ses peluches, lave ses peluches ! Objet transitionnel, mon cul ! Ne les crois pas ! Pas d'odeur, tu entends ? Et son père, est-ce qu'il sent ? Emballe-le dans un drap quand il portera l'enfant. Son père ou un fantôme, de toute façon, c'est pareil. Un débile !

Je n'ai pas la tête à eux, j'ai la tête à moi-même, je sens que la bosse arrive. Je veux dire la bosse au ventre. Elle est de plus en plus grosse.

— En tout cas, bravo, on ne voit rien, me dit ma mère. Tu t'habilles très bien. Il y a tellement de bonnes femmes qui se montrent.

Quand mon gars approche sa bouche à quelques centimètres, mon ventre monte vers lui. Il lui dit Je suis ton papa, sois douce avec ta maman. Quand je l'entends, je me confie. Je ne peux pas résister à l'idée de le prendre pour allié. Je n'irai pas à la crèche, sauf pour le déposer. Je n'irai pas à l'école, sauf pour l'en retirer. Je n'irai pas au jardin car j'ai peur des enfants, et mon gars me rassure Bien sûr, évidemment.

EUX

Bande de pierres ! hurlent les héréditaires.

— Une crèche ? demande ma mère. Et puis quoi ?

Je me replie dans ma tête. Et le mur dégringole. Avalanche. Les héréditaires me recouvrent. N'as-tu pas autre chose à offrir à ton œuf ? Tu parles d'un accueil pour l'enfant que voilà. Il te dérange ? Donne-le ! Nous, on le veut ! Tu fais pitié, regarde ! Les yeux bercés d'absence à te tâter le pouls pour savoir si l'enfant va te voler du temps ! Tu mériterais un chien. Mon Dieu, qu'est-ce qu'on dit là ! Tu en es bien capable ! Reprendre un chien. Vas-tu nous épargner cette ânerie-là au moins ? Qu'est-ce qu'on a vu, petite poule, avant de venir ici ? Un tapis à longs poils dans la chambre du bébé ? T'as perdu la tête ? Mais enfin, tu veux le tuer ?

Je cherche du secours, un soutien serait bien. Mon gars me tourne le dos. Il parle en langue des signes à quelqu'un que je ne vois pas. Je suis seule mais je préférerais l'être vraiment tout à fait. Qu'on n'essaye pas de me dire des mots comme « épauler », « marcher à mes côtés ». Mon dos me fait mal, mon ventre avance. Ma mère se penche et je vois ses seins, deux énormes seins qui la courbent. Elle ne peut plus se relever. Lourds, ils la tirent vers l'avant. Elle se replie, comme une boule. Ses yeux dépassent, comme deux appelants. Elle roule vers moi. Ma tête éclate. Je n'ai plus que deux jambes pour reculer. Je voudrais l'aimer. Je n'ai plus de toile à broder.

Je ne peux plus sortir, le courrier barre la porte, la pile est bien plus haute que l'aiguille du Midi. À la télévision, on prévoit la fonte des montagnes pour bientôt. Je dois trouver le bon cadenas pour le portail de la campagne. Refermer derrière moi. Être sûre que personne après moi n'entrera. J'irai de place en place, contre le mur en pierre, couchée sur le béton tiède, terrasse côté soleil, j'avalerai des fruits chauds. À la nuit tombée, je me coucherai, tranquille, entre deux draps de lin qui mettront plusieurs heures à voler ma chaleur. Je me réparerai et puis je reviendrai. Peut-être.

La naissance approche. Le docteur me donne une adresse pour suivre des cours d'accouchement. Je n'irai pas. J'accoucherai dans un champ, suspendue à une branche, près du mur chaud, en pierre, adossée au soleil. Pas de répétition, pas de rond entre femmes et entre autres maris qui soufflent et compatissent. Si on me force à devenir une femme matérielle, je vais donner naissance à un enfant en toc. On m'énerve, on m'énerve, et mon gars, soudain, miraculeux, superbe, me dit que mon ventre n'est qu'à nous. Il le regarde, il pose les mains dessus, il répète Nous, on sait, on est forts, et les autres, on ne les entend même pas. Il me serre dans ses bras et caresse mon visage. Mais si au bout de ses doigts lui poussaient de grands ongles ? S'il me défigurait à force de me caresser ? Je vais pleurer en secret, pendant qu'il me trahit. Et s'il était violeur ? Assassin ? Escroc ? Saint ? Non, saint, c'est impossible.

Je me calme. Je respire entre mes côtes. Elles me servent de persiennes. Alors je me promène à l'intérieur de moi. Je prends des vacances. C'est là que je viendrai, après la naissance. Au fond de mon ventre, il y a un champ. Cet été, j'ai vu mon gars y planter un arbre pour notre enfant. Je l'ai surpris, pendant mon sommeil, avec du lierre dans les yeux. Quand il me regarde, il m'enserre. Il me protège des héréditaires. Libre, il ne provient d'aucun ventre amer. Vrai, il transporte la lumière, de mes yeux vers les choses, il me fait atterrir. Il est ce que je ne fuis pas. Il me serre dans ses bras d'ange. Quand je me laisse aller à l'aimer sans arrière-pensée, j'ai moins peur. Mais soudain je l'entends boire, et je cherche des yeux, autour de nous, par les fenêtres ou par les volets, dans les voitures, dans les vitrines, pendus aux arbres, tous ses complices. Je vois une femme dans sa cuisine, le cul cambré, sur un escabeau. Je me dis qu'elle est sa belle monture. Un deux-roues s'arrête dans la rue. La fille qui le conduit a deux jambes. En haut, une culotte qu'il retire. Car mon gars la baise, elle aussi. Mais moins que la brune de la télé. Elle l'agace, froide, hautaine, alors devant moi, il change de chaîne. Mais il la connaît pour de vrai puisqu'il la baise à déjeuner. Passe me prendre au bureau, me dit-il. En sortant, il salue des gens. J'ai honte d'avouer pour la nausée, alors je me tais.

Est-ce qu'elle sourit parfois ?

Je m'aveugle un peu, soleil de face, je me fous de la confiance. J'arrête de l'aimer. Je le côtoie. Dans la même minute, je passe par là. L'amour fou, l'amour interdit, l'amour mort et l'amour factice.

On est là ! On te veille ! Reste couchée ! Tu devrais toutefois vernir tes pieds, coiffe-toi, même allongée, ne te laisse pas aller ou ton mec va se barrer. Le pauvre ! On comprendrait qu'avec tes nocturnismes il finisse par chercher l'air qui vient à manquer. Regarde quand il dit oui, sa tête va de gauche à droite. Il devient fou ! Notre avis ? Tu le dérègles ! On va s'occuper de lui, ne t'en fais pas, on le tiendra. Il a tout ce qu'il faut pour vivre à nos côtés, il nous ressemble, tu sais, on n'a rien d'étranger.

Ce matin, on faisait l'amour et je soupçonne mon gars de m'avoir implanté un micro. Depuis, j'ai une fréquence dans le ventre. Je sens un va-et-vient. Le doute me cuit le jaune, le blanc. Je deviens dure. Mon gars a changé de camp. Je ne peux pas lui faire confiance. À présent, par sa faute, les héréditaires me contrôlent du dedans. Ils interviennent par les amis, par les parents, par mon amant. Si je les trompe à l'imparfait, ils me traduisent grâce à ma racine latine. Je ne cache plus rien. Du coup, c'est moi qui ne comprends plus ce que

je contiens. Ils me décortiquent la parole et la langue.
Mon gars ne m'embrasse pas vraiment, il fait semblant.
En fait, il m'analyse. Si je pense au futur, les héréditaires actualisent. Je suis coincée. Je sers seulement de
couveuse à l'humain qu'ils fabriquent. Ils m'ont pris le
ventre. Ils campent autour. Mais je ne dois pas réfléchir
au même sujet en boucle, sinon ils prennent la boucle,
ils la défont. Je passe donc en revue mes pensées, je les
éventaille sans les fixer. Quand j'éventaille, ils ne me
pigent pas. Mais j'ai trop d'air et j'attrape froid. Le
matin, mon gars ne claque pas la porte de chez nous en
partant, il la ferme doucement et elle se rouvre après,
quand le vent de l'escalier la repousse. J'entends la voix
de mon homme.

— Sors, va te promener. Viens me chercher au
bureau tout à l'heure. Nous rentrerons à pied.

Il fait nuit. Mon gars est au salon. Je l'entends boire, manger des biscottes, le canapé grince. Une âme sourde parcourt mes jambes molles. Que fait-il ? Quelque chose rampe sur ma peau. Dans ma tête, je réserve une pièce aux parois d'aquarium aux soins du bébé. Et la pièce résonne mais je ne sais pas de quoi. Il n'y a plus d'héréditaires. Leur absence me trouble. Je pense qu'ils se cachent, mais où ?

Demain, j'ai rendez-vous avec ma mère. Elle veut m'offrir une tenue de nuit pour mon retour à la maison, après l'hôpital, après l'accouchement ; une tenue pour que mon gars reste. Je vais te confier quelque chose d'important.

— Oui ?

— Ne te présente jamais devant lui en traîne-savate, ou il te quittera.

J'ai mal au cœur. Mon gars fait grincer le canapé.

Je me lève. J'ai envie d'un Fizz aux agrumes et d'une endive crue. Ma boisson a une épaisseur de poison. Ma nourriture a goût d'os. Sur le sol, serpentent des odeurs douces, guimauve, caramel chaud, barbe à papa. Sur le canapé, serpente mon gars, endormi, allongé là, la chemise ouverte, la main pendante. Cadavre, me dis-je. Je regarde la bière posée sur la table. Une pute. Qu'importe, il peut bien baiser qui il veut. Quand j'aurai retrouvé mon petit corps, je me vengerai, zéro égard désormais.

Mon gars se réveille. Il attrape la pute posée sur la table, il la suce. Il vient m'embrasser, sa pute dans la bouche. Ils partent ensemble.

Demain, je déjeune avec ma mère. J'ai peur que ma fatigue ne finisse par se voir. Je vais te dire quelque chose, Oui ? Tu n'as pas l'air en forme. Je vais te confier quelque chose, Oui ? Tu n'es pas dans ton assiette, il va te falloir vite redescendre sur Terre. Je voudrais t'expliquer quelque chose, Oui ? Tu feras à ton idée bien sûr, mais tu devrais exiger de ton médecin qu'il ne réanime pas l'enfant s'il a le moindre doute sur son état cérébral. Je voudrais t'expliquer autre chose,

Oui ? Quand je parle de doute, je parle de débilité. Et puis que ça te plaise ou non, je vais te dire ce que je pense, Oui ? Tu avais de belles mains quand tu es née, pourquoi tu les abîmes ?

Cheveux, vêtements, maquillage, sourire, j'établis une liste de moi-même pour aller retrouver ma mère. Je fais mon portrait, point après point. Je fabrique le kangourou idéal, adapté à sa poche. Et chemin faisant, je sais que mes cheveux n'iront pas. Je tiens quand même à te dire quelque chose.

— Oui ?

— Tu as vraiment le don de t'amochir.

Viens, dit la voix, dans le mur, qui m'impressionne, viens te coucher, maintenant. Je ne peux pas. Demain je vois ma mère, je dois lui plaire. Je révise. Mais j'ai les mots bloqués. Je sais que mes efforts pour bien me présenter ne seront pas remarqués. Je ne peux plus supporter qu'elle oublie de m'embrasser, ni qu'elle regarde dans la direction opposée. Je ne sais pas comment être pour qu'elle me regarde dedans, sans passer par l'organe qui éjectera l'enfant.

Mais pour qui te prends-tu ? Ta chatte est bien

à elle ! Et elle l'a fabriquée ! Elle a le droit de savoir si on te l'ouvre ou pas ! Elle a peur qu'on te fende, qu'on te coupe, qu'on te recouse. Elle voudrait qu'on prenne garde à ne pas te déchiqueter. Elle tient tant à ta chatte, tu dois la lui prêter. Tu héberges n'importe quel mec et tu lui fermes la porte au nez. Pourquoi ne baisez-vous pas pour vous réconcilier ? Ne bouche pas tes oreilles, petite poule, on est dedans ! On veut entendre ton gars qui t'appelle, de la chambre. Et qu'est-ce qu'il veut, d'abord ? Il veut te baiser, encore ? Ponds l'œuf, tu es dégoûtante. Vous allez le casser à force de consommer. Y a vraiment que tes parents que tu te sois pas tapés. Tu mérites de retourner ta chatte aux fabricants. Ils t'attendent, mains gantées, ils méritent de te fouiller. Ne leur retire pas le plaisir de te réinstaller. Tu as buggé, petite mère, en 2000, ou avant. Depuis, tu périclites. Tu ne seras pas une vieille du vingt et unième siècle. À présent, il te faut repartir dans l'autre sens, redevenir enfant, te confier à ta maman, la voir, sourire, et tressaillir.

Nous avons rendez-vous, ma mère et moi, devant une église. Je propose d'y entrer. Quand j'allume une bougie, ma mère m'attrape le bras.

— Je t'aime, tu sais.

Elle pleure. Non, je ne sais pas. Je m'en doute un peu, avec toutes ces photos de mouettes qu'elle m'adresse. Alors je lui réponds la même chose, mais j'en profite pour passer un message. Je sens que le moment est le bon, bougie, église, larmes, je me lance. Un pied de chaque côté de la fissure. Fastoche. Admets parfois que tout ce que je fais n'est pas nul, lui dis-je.

Mes propos sont toujours déformés, me répond-elle. Pourtant, je n'ai jamais failli à mon devoir, insiste-t-elle, jamais. Et je n'ai rien à me reprocher. Rien du tout.

Je lui confirme qu'elle m'a très bien élevée, certes, mais que ma méthode pour m'occuper de mon bébé différera sûrement de la sienne sur plusieurs points et qu'il ne faudra pas qu'elle en prenne ombrage.

— J'aime quand tu emploies de telles expressions. Pour l'enfant, tu feras comme tu voudras, de toute façon je n'ai pas mon mot à dire. Je ne me le permettrai pas. Je sais rester discrète. Je me tais. Même si je n'en pense pas moins.

On ressort de l'église. En sautant très haut, j'ai la certitude de pouvoir gagner sa poche. À un moment, ma mère va forcément m'avouer qu'elle est contente de l'arrivée de mon bébé, ou que je ferai une mère formidable. Up to date, peut-elle même ajouter. Je ne me moquerai pas de son expression, je me sentirai up to date. D'ailleurs, j'aime me promener avec elle. Elle m'offre une nuisette bleu marine et une autre, blanche. Quand elle voit mon gros ventre dedans, elle me dit de ne pas m'inquiéter, il va partir. Il va s'en aller. Je ne garderai pas cette avancée. Je ne dois pas me focaliser dessus. Personne ne le voit de toute façon puisque je m'habille très bien. Tout reste invisible. Je le vois parce que je suis ta mère. À ce propos, je veux te dire quelque chose.

— Oui ?

— Ne fais pas d'abdominaux juste après l'accouche-ment. Attends trois semaines, et reste allongée le plus possible sans faire le moindre effort afin que tes chairs reprennent leur place.

Mes chairs. Elle a quand même le droit d'employer les mots qu'elle veut. Elles sont très mignonnes, ces chairs, qui font monter les larmes aux yeux de ma mère. Ma mère regarde sans la regarder ma main posée sur mon ventre ainsi que la bague que je porte. Elle va me dire qu'elle est jolie, me demander si elle vient de mon gars. Chaque fois qu'un type m'a offert un bijou, je me suis précipitée pour le lui montrer, et elle m'a répondu qu'il était bien mignon. À présent, on a été dans le dur toutes les deux. Je lui ai dit respecter ses méthodes même si je préfère les miennes, alors elle va se laisser aller au bon-heur, et se réjouir pour mon doigt, le trouver à son goût. Je voudrais te confier quelque chose, me dit-elle. Oui ?

— Je ne comprends pas pourquoi tu portes des fantaisies de mauvais goût, et jamais les bijoux que je t'ai donnés.

Nous n'avons pas encore déjeuné. J'ai les héréditaires

en travers de la gorge. On ne dort pas, petite poule, on récite un chapelet. Un chapelet de saucisses ! Que pour toi ! D'ailleurs, tu te boudines ! Boudin ! Boudin ! Boudin ! T'es pas gênée poupée, où sont donc tes bracelets ? Oui, ta mère a raison. Et le collier de Mémé ? Et la broche de Tété ? La minerve de Pépé ? La prothèse de Kéké ? Et le fusil d'onyx ? Dans ta tête, dans ta tête, tu entends les coups de fusil ? On te cherche, on te cherche. Franchement, tu t'es vue, quand tu parles à ta mère ? Une petite poule. Telle quelle. Qui fait son petit marché avant d'aller accoucher. Et dit des mots de pintade, comme « respect », « compréhension », « tolérance ». Une connasse. Tout ce que t'es. On se demande si ton enfant sera un si bon plan. Si elle a beaucoup de toi, tu sais, on te la laissera.

Je veux retrouver le tuyau chaud, ma broderie, mes aiguilles, oublier la lettre qui dépasse, me concentrer sur un ouvrage. Aujourd'hui, un coussin figurant une maman marteau et un papa tire-bouchon. Ouais, on commande, c'est pop, on le teste en milieu de gamme. Je rentre chez moi. Je vais broder longtemps, vider ma tête, repousser les voix. Je suis forte.

Mur blanc, chien écossais découpé en papier, chaussons pendus portant bonheur, rideaux gris, lapin beige, lumière tendre. Je prépare la chambre.

Décoratrice d'intérieur, bonne reconversion, petite poule, on s'incline. Mais toutefois on se permet… Qu'est-ce que c'est que ce tapis ? On t'a dit de le jeter ! Un nid à allergies. C'est donc ça son coquetier ? Tu peux pas t'appliquer ? Et un lit en carton ! Mais tu as perdu la tête ! Ponds ton œuf et va-t'en ! On le prend ! On le prend !

J'ai du chagrin parfois, je ne comprends pas qui sont les gens autour de moi. Leur amour a muté ou n'a pas existé. Je découvre l'amour à trente-sept ans passés. Mon gars ne procède pas comme un héréditaire. Il discute avec moi quand il ne comprend pas. Il n'impose pas sa loi. Ces jours-ci, dans le calme un instant regagné, j'ai entendu des cris. Et la meute a grondé à cause d'un grand problème. Le faire-part, le faire-part, on s'occupe du faire-part, de grâce, pas un faire-part de ton goût, par pitié ! Un faire-part doit être sobre, pas de photo, s'il te plaît !

Je suis allée près du feu, j'ai trouvé mon gars, je lui ai parlé du faire-part, et puis, en vrac, j'ai dit pardon et j'en ai marre. Il m'a demandé si notre départ définitif à la campagne était toujours d'actualité. Vivre là-bas, ensemble, dans les arbres, en souvenir de nos débuts. J'ai dit oui. Mon bébé s'est retourné. On a fait l'amour devant la cheminée. Dans ton état ? a hurlé le mur. Les souvenirs, un à un, sont en train de me sauver. Mon gars ne peut pas me trahir en se tenant aussi près. Et si c'était le cas, le choc serait si grand qu'aussitôt je l'oublierais. Je préfère lui pardonner plutôt que de vivre sans lui.

Tu deviens mère, c'est bien, tu as fait un joli nid de votre maison d'amants. Reine du linge plié, cuisinière, variété, quand l'oiseau est à l'aise et n'a rien à donner, il s'envole. Sache-le ! Le confort lui convient mais ton gars t'aimait avant, quand les hommes te regardaient. Là, enfermée chez toi, horizontale, contrainte, y a que le voisin d'en face qui se branle en te matant. Il te connaît de loin, alors tu lui plais bien. Il croit que tu es disponible, il voit ton gars passer comme un électron libre, vous ne le faites plus bisquer avec vos folles soirées. Tu ne raccordes vraiment rien. Tu as perdu ta langue ? Le pauvre ! Une femme sans langue est une femme sans espoir. À ton contact, les hommes buvaient, petite poule. Aujourd'hui, ils se barrent. Pas tous ! Il te reste tes ancêtres. Ouf ! Quand tu vas accoucher, ils se pencheront sur toi. Oui ! Oui ! Oui ! On sera là ! Tu nous a ragaillardis en devenant maternante, on se sent mieux, et la vie, à nouveau, coule dans nos foyers. Faut reconnaître qu'un enfant est du peps, du bon jus. C'est un courant d'eau douce, allons-y, suivons-le, nous allons nous baigner, encore, comme des truites, redécouvrir la joie de la liberté, quitter les murs de la fabrique et, surtout, respirer. Ponds-nous ce petit œuf. Nous devons le gober. Sa sève est notre sang. Allez ! Cette fois, ponds vite, ne te fais pas prier. Au forceps, on l'aura, si tu ne t'ouvres pas.

Je me serre contre mon homme. On va partir,
n'est-ce pas ?

La campagne ? Qu'est-ce qu'on entend ? Ton gars
te parle à l'oreille… Pas de messe basse sans curé. On
était là pour toi, on est automatiques, une naissance,
un deuil, on s'amène, c'est normal ! Mais maintenant,
on fuit. Tu as les clefs, débrouille-toi ! Oui, on a dit
les clefs ! Fous-toi de nous, ça changera !
Mais quand même… Partir là-bas ? Et puis quoi ?
As-tu bien toute ta tête ? Si c'est ce que tu projettes,
merci de nous le dire sur-le-champ. On y envoie les
revenants.

Le bébé me fait peur. Il a sa taille adulte. Il bêche sous mes côtes.

On te dit que c'est une fille ! Pourquoi l'appelles-tu il ? Si elle me détestait ?

J'ai envie de voir ma mère. Elle m'attend en bas de chez moi. Maintenant que j'ai foncé dans le dur, on va passer une bonne journée. Détendues, complices. J'ai même envie de lui confier les prénoms auxquels on a pensé.

— J'ai vraiment peur que ton enfant soit débile, reconnaît-elle.

Nous allons apaiser son angoisse dans une parfumerie. Elle me demande si j'ai besoin de quelque chose. Un kangourou. Je veux bien un kangourou. Elle me propose un blush rose, pour me donner bonne mine dans mon lit. J'ai le teint délavé. Je dois penser à me maquiller, sinon mon gars va se barrer. Et puis j'ai encore quelque chose à te dire, Oui ?

— Arrange-toi un peu. Je ne comprends pas pourquoi tu te maquilles si mal. En fait, tu t'amochis.

Je veux un kangourou. J'en suis un. Ma mère m'offre une crème pour redessiner le contour de ma bouche. Ton O s'efface, précise-t-elle. Elle m'offre un petit sac en fourrure noire. Il contient une poche. Je l'emporterai avec moi, je garderai les mains dedans et je penserai à maman. Je vais sortir dans vingt-deux heures, me prévient le bébé dedans, sur un ton d'hôtesse de l'air. Et si elle était débile ?

J'ai des voix qui me traversent, parfois la mienne et celle de ma fille se percutent. Le gong est métallique. Sous mon crâne, tout explose. Je vois des lumières rondes. À présent, j'ai envie d'être seule et de me remémorer le rendez-vous avec ma mère en la quittant. J'espère découvrir, cachée par sa pudeur, une couleur ignorée, peut-être l'indigo dont me parlait mon père

quand il me fabriquait des arcs-en-ciel avec un jet d'eau
et dont je n'ai jamais osé dire que je ne comprenais pas
la teinte, ni bleue ni mauve, trop rouge au fond pour
être lue par mes yeux blancs. Dans sa pudeur, ma mère
me cajole et m'embrasse à pleine bouche. Depuis que
j'ai cogné dans le dur, je suis moi, tu es toi, et je t'aime
comme tu es, même si je me préfère comme je suis,
les héréditaires ont baissé d'un ton. Je vais accoucher
dans quelques heures. Ma mère doit me serrer dans ses
bras sans écarter mes cheveux ni retenir sa respiration.
Tant qu'elle ne pourra pas me sentir, elle ne pourra pas
m'aimer vraiment. Elle me dépose en bas de chez moi,
je lui propose de prendre un café, elle me répond Non,
je suis discrète, je reste à ma place, je ne monte pas.

Je vais bientôt déborder. Et mon sac est fin prêt pour
la maternité. À présent, j'attends dans la chambre de
ma fille. Je viens de me disputer avec le mur entier. J'y
ai planté des punaises. Je les ai reliées entre elles avec
des fils de laine. Ils sont tous bâillonnés. Je ne veux pas
qu'ils la touchent. Je ne veux pas qu'ils lui parlent. J'ai
terminé ma tâche. Je protège ma fille.

Elle peut descendre. Le mur se tait.

Mais une lettre est encore coincée sous le paillasson. Elle me nargue à travers la porte. Madame, votre homme est mort en baissant son pantalon. Le zip de sa braguette a provoqué une étincelle. La roche s'est fendue en deux. Le héros est tombé au milieu, dans une crevasse bleue.

Si le héros est mort et que le bébé est héréditaire, si sa mère entend des voix et que le bébé est héréditaire, si son père n'est pas celui qu'aimait sa mère, si sa mère n'est pas celle que voulait son père, si sa mère a vraiment cette tache au fond de l'œil, troisième œil de malheur, et que son père a la même, dans le sien, au même endroit, et que l'enfant est héréditaire, si sa mère et son père sont deux héréditaires qui ont fait un enfant, je dois à tout prix lui cacher ses parents. Je préfère la garder dedans. Je suis une toile à broder. Je n'ai qu'à recommencer. Je lui inventerai une autre histoire, celle de la vie est trop risquée.

Je n'ai plus beaucoup de temps. Je m'écarte, elle

avance, elle va sortir. Je dois vite me coudre la crevasse, point à point, sans crier. Je ne veux pas la perturber. Un cri de mère est insupportable. J'accouche à l'intérieur. J'ai gagné mon pari, réduction de mon être, pas moi en plus petit mais moi en invisible, je ne sens pas la douleur. J'ai trouvé le moyen d'anesthésier mon cœur. On souffre avec le cœur ou sinon avec quoi ? Je pense au champ d'oliviers, au récit de la crevasse bleue. On aurait dû s'arrêter là, son père et moi. S'embrasser puis se quitter. L'histoire était cousue de fil blanc. Celui que je prends pour coudre ma crevasse. Je me souviens de mon homme dedans, la première fois. Les fois suivantes étaient les fausses. J'entre dans une nuit compliquée. Ma fille veut sortir mais je me couds serré. La douleur n'est rien, comparée à l'espoir. Je ne connais pas pire douleur que celle de l'espoir déçu. Quand mon ventre éclatera, les voix cesseront pour toujours.

Les amis sont passés, dans la pièce d'à côté, mais mon gars leur a dit que je me reposais, que le bébé approchait, et ils sont repartis. Viens, on va fêter ça. Ils se cuitent au coin de la rue, et il est avec eux.

Quand il rentrera, il me trouvera là, bien cousue. Je ne lui ferai pas peur, il me demandera si ça vient, si je vais bien. J'acquiescerai. Je le prendrai dans mes bras. Il oubliera doucement qu'on attend un enfant. Et il disparaîtra. J'ai la force de tout, le pouvoir amnésique. On repartira dans l'autre sens. Vers le champ d'oliviers.

Encore quelques points et je serai achevée, close, parfaitement ourlée, ma fille habitant avec moi pour l'éternité. Je suis son seul refuge, et je suis son armure. Il fait sombre soudain dans la chambre d'enfant. Parfois on a si mal qu'on ne sent presque rien. Je parviens à me lever pour ouvrir les volets. Je suis à la campagne, dans ma chambre d'enfant. J'ai rendez-vous avec un homme parfait. Il va venir ici, sous les oliviers. Pour le moment, il m'écrit. Tout à l'heure, j'irai le chercher au train. Je vais l'aimer. En l'embrassant pour la première fois, l'idée folle d'un enfant de lui surviendra. Mais je ne le dirai pas.

Du même auteur

Le Grenier
Anne Carrière, 2000
Le Livre de poche, 2002

Je prends racine
Anne Carrière, 2001
Le Livre de poche, 2003

La Reine Claude
Stock, 2002
Le Livre de poche, 2004

Pourquoi tu m'aimes pas ?
Fayard, 2003
Le Livre de poche, 2005

Vous parler d'elle
Fayard, 2004
Le Livre de poche, 2006

Insecte
Fayard, 2005
Le Livre de poche, 2006

On n'empêche pas un petit cœur d'aimer
Fayard, 2007
Le Livre de poche, 2008

Dessous, c'est l'enfer
Fayard, 2008
Le Livre de poche, 2010

Les Cris
Fayard, 2010
Le Livre de poche, 2011

Les Bulles
Fayard, 2010
Le Livre de poche, 2012

Les Merveilles
Grasset, 2012
Le Livre de poche, 2013

Les Couplets
Grasset, 2013

Réalisation : Nord Compo à Villeneuve-d'Ascq
Achevé d'imprimer par CPI Firmin-Didot
à Mesnil-sur-l'Estrée
Dépôt légal : mars 2014. N° 0365
N° d'imprimeur : 121360
Imprimé en France